JN046195

ギークに銃はいらない

斧田小夜

目次

ギークに銃はいらない

The Gun For Geek

1

銃なんかなくたって俺たちは世界を殺せる。だろ？　いつか絶対殺してやる。人差し指をカメラにつきつけて、よくディランはそんなことを言った。

ディスプレイの中で貧乏ゆすりしているとき、彼は冴えない高校生だ。チビで、ぽっちゃりしてて、ダサいTシャツにくたびれたパーカーを羽織って、しかも赤毛。学校ではジョックス[*1]のおもちゃだし、家では父親のサンドバッグになっているから、いつも口を尖らせて世界中が嫌いだって顔をしている。でも夜にDiscord[*2]で話しているときだけは俳優みたいだった。

あいつら、俺たちみたいなギークが怖いんだ、と彼は言う。いつか銃を乱射すると思ってる。でも銃なんて。そこまで言うと彼はきまって鼻を鳴らし、馬鹿だ、と吐き捨てた。俺たちが銃なんかに頼ると思うか？　この指と頭があればなんだってできるんだ！　こいつでいつか世界をぶっ壊してやるぜ。絶対だ。

最高にクールだ。

ディランとは高校に入ってから仲良くなった。ロッカーに閉じ込められていたディランを僕が救い出したのがきっかけだ。最初はめんどくさいことになったと思っていたけど、最近は毎晩ゲームをしてる。はたから見ればナード同士がつるんでるってだけかもしれないけど、彼とDiscordで通話しながらするゲームは格別に楽しい。

僕はディランのような典型的いじめられっ子ではないけど、すごく違うってわけでもない。せいぜいシカダニかイヌダニかって感じだ。僕ときたら棺桶から出たてみたいに痩せっぽちだし、運動は苦手で、成績もあんまり良くない。背が低くて、童顔で、そのうえ典型的な東アジア顔をしているから、中華系グループのとこに行けよってすぐ爪弾きにされる。たしかに見た目は似てるけど、それだけで仲良くなれるほど世界は単純じゃないし、僕は日系二世の米国人だ。雑に東アジア系を一括りにするのは、この国の良くないところだと思う。おまけに僕はディランと違って元カノってやつがいない。唯一マシなところは貧乏じゃないってことだけ。でもそれはパパとママの功績だし。ほんとうにクソみたいな世界の生き物だ。

そんな僕でも、映画に出てくる腐ったハンバーガーみたいな青春に比べたら、ちょっとだけ救いがある。なぜならここ、北カリフォルニアで、ギークは神だからだ。

ギークは残念ながらダサい。

だぼっとしたジーンズをはいて、しわだらけのオックスフォードシャツか、ポロシャツか、ダサい絵がプリントされたTシャツを着てる。そのうえにみんな揃いも揃ってペラペラのH＆Mのパーカーを羽織っていて、遠くから見ると色違いの制服を着てるみたいだ。すごく太ってるか、すごく痩せてるかのどっちかで、猫背で、髪型だってダサい。いつも男同士でつるんで、早口に話す。学校にいたらきっと僕たちの仲間だったはずだ。

なのに。

なのに、だ。

そんなふうに冴えない彼らはこの世界における神なのである。北カリフォルニアを拠点とするGAFA[*3]こと（こんな変な呼び方、パパが言ってるのしか聞いたことないけど！）テック企業のマンモスたちは間違いなく二十一世紀の世界を支えており、その企業に貢献するギークたちは、まさに神といって差し支えないだろう。

僕たちは北カリフォルニアのサンフランシスコ湾岸、イーストベイの小さな町 Hayward に住んでるけど、Hayward の対岸には Palo Alto っていうギークの聖地がある。対岸へ行くとき、ディランは「ジェシー、人間をしに行こうぜ」って言う。

人間をする。最高にクールだ。

本物のプログラマになったらディランは、「神をしに行こうぜ」って言うんだろうか。それとも、Palo Alto からベイを渡る橋を指さして「下界を見に行こう」なんて言うんだろうか。

*

外に出るとかなり気温が下がっていた。まだ十一月だと思って油断してたけど、日が落ちるとパーカー一枚では寒さを遮れない。温暖なカリフォルニアから夏が去って、マロニエの木が赤や黄色になったら、私の嫌いな雨季が来る。乾季はすぐに車が真っ白になるから嫌いだけど、雨はサイアク。いつのまにか車が泥だらけになっちゃうから。

妹のキャスから友達に送ってもらうから先に帰ってて、とメッセージが入っていたので、私は荷物を助手席に投げ込んだ。最近浮かれてるから、たぶんボーイフレンドでもできたんだろうな。ほんと、バカみたい。ひとのことはあれこれ言ってたくせに、自分のことになると浮かれて周りが全然見えてないんだから。

なんだかムカムカする。帰る前にどこかに寄って行こう、とエンジン音を聞きながら私は思う。どこでもいい、モールに行ってぶらぶらするか、スーパーでクリームチーズとオレンジジュースを買って帰るか、それとも——なにかあったっけな、とエンジンをかけながら私はちょっと考えた。なんとなくまっすぐ家には帰りたくないけど、でもいい理由が思いつかない。ちょっと前だったらディランがいたから全然退屈しなかったのに。

私がディランと出会ったのは高校の図書室だった。

入学してすぐ、私は図書室でボランティアをすることにした。四年間しかない高校生活を、書架に本を並べたり、アルファベットを数えてエンジョイしようなんて傑作なアイデアを思いついちゃったんだ。ディランも同じだったみたいだけど、一年くらいお互いのことは知らなかった。なんたって図書室ではおしゃべりなし、喧嘩もなし、噂話もパーティーもなし。そう、本を並べてエンジョイするしかないってわけ。

たぶん、同じボランティアでも教会の手伝いのほうが絶対にマシだ。友達にもなんで？　って言われた。本をAから順番に並べるとか、退屈で死にそう。それにリサって本読むの？　キャスは優等生だから図書室とか行きそうだけど、リサはどっちかっていうと本を焼いてる方でしょ？

本を焼いてる方だって！　意味はわかんないけど、パンクっぽくて気に入ってる。

みんなも知ってのとおり、図書室は焚書(ふんしょ)で黒ミサをする場所じゃないけど、誰にも気づかれないようにどっさり本が詰まったカートを押して棚の間を通って、適切に並べて戻ってくるゲームはいつでもできる。これ、実は結構ハードなゲームなんだ。カートは鉄でできてて、いっぱい本が詰まってるからすごく重くて、押すとギイギイ音がする。ハンドルは手垢で黒くなっててすべるし、角をうまく曲がるのは熟練の技が必要で、うっかりしてるとすぐに棚にぶつかる。私なんて三分に一回は図書室をぺしゃんこに壊しちゃうんじゃないかってヒヤヒヤした。

でも、棚に本がぎっしりと並んで沈黙している様子を見るのは、悪くない。窓から西日が差して、本の隙間をすりぬけて床でひだまりを作ってるのを見ると、大冒険じゃん、って思う。別に本を読むだけが図書室の使い方じゃなくない？　本は別に好きじゃないけど、図書室は好き。

とにかく、そんな図書室で私はディランと出会ったのだ。

私がカートを押して通りかかったとき、彼はかがんで本を探しているふうだった。窓から白い光が差し込んで、彼の赤毛が燃えてるみたいに見えた。彼がボランティア仲間だってことは知らなかったから、私はひかえめに声をかけた。ねえ、その髪の毛、最高にクールだね。危ないからちょっとどいてくれる？　これ、すっごく重くてうまく動かせないんだ。

彼は顔を上げて、不思議なくらい無邪気な顔でニコッて笑った。すごくキュートだった。

*

今年の十月、Ｄｙｎに対して行われた世界最大のＤＤｏＳ攻撃[*4]のことは覚えているだろうか。インターネットが混乱を極めたあの事件だ。

想像をはるかに越えた量のトラフィックがネットワークをあふれさせ、僕らの聖地の企業を皆殺しにした。凄まじい攻撃だった。Twitter・PayPal・Netflix・Airbnb——数えたらキリがない。名だたる企業がバタバタと倒れるところを僕らは目撃した。どこへ行っても「このサイトにアクセスできません」の洪水だ。たぶん、一生分の「このサイトにアクセスできません」を見たんじゃないかと思う。

ディランの反応はひどかった。テレビにかじりついて、俺たちは歴史に残る事件のただなかにいるとか、こんなすごいものは死ぬまで見られないぞとか、世界一の頭脳が集まる聖地の企業が一瞬で死んだ、それもたった一人か二人の力で！　とかなんとか、ずっと言っていた。興奮しているディランは言うことがでかい。なんでも世紀の大事件にしてしまう。

昼間は暑さの残る十月でも夜はめっきりと冷え込むので、僕はブランケットをかぶって白湯をちびちびと飲んでいた。胃の弱い僕は、ディランみたいにコーラをがぶ飲みできない。僕の斜め前で椅子に座ってるディランは時々こぶしを突き上げ、そうでないときは二リットルのペットボトルに口をつけて、また大げさなことを口にする。

インターネットが使い物にならなかったので、僕たちの娯楽はテレビしかなかった。テレビの中では、大人が右往左往している。インターネットに大きな障害が発生していることは誰の目にも明らかだが、それがなぜ、誰が、そしてどうやって引き起こしたのか、誰もわからないらしかった。説明らしい説明といえば、ＤＮＳサービスが落ちたということだけだ。

パパの本棚をあさり、僕たちはＤＮＳという単語を探した。どうやらＤＮＳというのはＵＲＬの文字列からＩＰアドレス[*10]を引き当てる辞書のようなものらしい。インターネット上にその辞書が保管されていて、僕たちがブラウザにＵＲＬを打ち込むと、ルーターとかそのあたりのものがまずそれを引く。そしてお目当てのＩＰアドレスに変換したら、ようやくそのアドレスに向けてリクエストをかけるのだ。だから、そいつが死んでしまったら、たとえばgoogle.comはただの“google.com”でしかない。ネットワークを構成する機械は“google.com”がなにを指しているのかわからないのだ。彼らの公用語は216.58.197.238のようなドットアドレスであり、それがなければ互いに通信できないというのである。

ＤｙｎはＤＮＳサービスを運営している会社で、ＤＤｏＳ攻撃と呼ばれるサイバー攻撃[*11]を受けているらしい。

ジェシー、とディランは僕を呼んだ。どこか熱にうかされたようなぼんやりとした声だった。これ、すげぇな。世界を殺せる。俺たちもやってみようぜ。

それからしばらくしてＤｙｎへのＤＤｏＳ攻撃はMiraiというマルウェア[12]に感染したＩｏＴ機器[13]が引き起こしたものだと判明した。犯人たちがMiraiのコードをGitHub[14]に公開したので、僕らはすぐにダウンロードした。ディランのいうところの銃を、僕たちは手に入れたのだ。

2

「やっぱり人工衛星かな。映画だと人工衛星のハッキングをしてるだろ、あれくらいやらなくちゃインパクトがないよな。それかＤｏＤ[15]……あとはロシアの諜報機関とか、中国政府とか、北朝鮮のミサイルシステムとか」

僕はゲラゲラと笑った。ディランの言うことはでかい。カリフォルニアの冴えない高校生が中国政府にＤＤｏＳ攻撃をしかけるとか、下手な映画でもそんな筋書きは出てこないのに、彼は真面目な顔でやろうと言う。もちろんやり方はぜんぜんわからない。でも言ってみるだけなら自由だ。

簡単に捕まるのは嫌だな、と僕は言った。命を狙われるのもゴメンだ。ＤｏＤなんかに攻撃したらＣＩＡに殺されない？　中東もやばいよな。麻薬カルテルは陸でつながってて危ない気がするし、海で隔てられたところにしよう。将軍様なら太平洋をまっすぐに突っ切るミサイルをプレゼントしてくれるかも。中国も悪くない。

おい、兄弟(bro)、と顔をしかめたディランは僕を小突いた。らしくないな、ビビってんなよ。

僕はあいまいに笑った。彼の言うとおり、僕の態度はビビっていた。いかにも弱気で、ディランの熱意に水をさしただけだ。ごめん、と僕は謝った。そうだよな。ビビってちゃだめだな。

そうさ、とディランはペットボトルを持ち上げて不揃いな歯を見せる。でも俺たちの目的は金じゃないからなあ。うっかり捕まってなんか請求されたらやばいな。そうだ、先に金を稼ごう。それと人を殺すのもなしってことにする。人を殺したらその辺で銃を乱射してる奴らと同じになる。あいつらと同じになってたまるか。

ディランは口をつぐんで、ぎゅっと眉間に皺を寄せた。たぶん、父親のことを思い出したのだろう。あるいはいつも彼をいじめるジョックスか――

ディランの父親は控えめに言ってクズだ。いつも酒臭くて、だいたいは無職で、そうじゃないときは道端に看板を持って立ってる。ディランの奥歯が一本足りないのは、十一のときにクズ親父に折られたからだ。歯が頬の内側にささって穴があいたらしい。けれどもあのクソ親父は一度だってディランに謝ったことはないらしかった。もちろんディランの送り迎えだってめったにしない。そのめったなときだって、酔っててとても運転はさせられないとディランは言う。

十年生になってすぐに免許をとった僕は、仕方がないのでディランの家まで迎えに行き、帰りは送ってやる。僕のママはそれを善行だという。善行。実にダサい。ママが好きそうなやつだ。レインボーだとかポリコレだとか、ママはそういうことばかり言っている。ダサい。赤い帽子をかぶって喜んでるディランのパパと同じくらいダサい。

でもそんなことはどうだっていい。うちのガレージにあるのはギーク主義だけなんだから、親の信条なんて関係ないんだ。スタートアップをするならガレージからにきまってるし[16]、ハッカー[17]はガレージに集まるのがセオリーだ。僕たちはいまのところただのスクリプトキディ[18]でしかないけど、暗いガレージにラップトップを持ち込んでコードを眺めていると、アノニマスの一員になったような気がする。

コードは銃だ。プログラムは銃弾だ。引き金をひけば、世界は一瞬で死ぬ。身体が大きくなくても、頭がたいして良くなくても、お金がなくたって、僕たちは世界を人質に取ることができる。僕を横目で睨んで顔をしかめる女子も、授業中に紙くずを僕に投げつけてくすくす笑ったり、ディランをボウリングの球みたいに投げたりするジョックスもそんなことはできやしない。もちろんディランの耳を掴んで振り回し、皮膚を水玉模様に破くディランのクソ親父だってそうだ。

二十世紀のナードにはインターネットがなかったから、冴えないクラスメイトを巻き添えに自分を銃で殺すしかなかった。[*19] でも二十一世紀のナードは違う。僕らはガレージで世界を殺せるし、死ななくていい。

あれこれ議論をしたあと、ディランは言った。とりあえず身近なところからはじめよう。ゲームだってチュートリアルが必要だろ。たしかに僕たちはなにも知らなかった。しかしバカではない。物事をうまくやるコツは、すごく限定されたところからはじめて、だんだん大きくすることだとギークも言っている。というわけで、僕たちはとりあえず学校の設備をハックすることにしたのだった。

＊

ディランと喧嘩した日のことを思い出すと、いまだにちょっと涙が出そうになる。

きっかけは、たまにはどこか行こうよって、私が車の中で言ったからだ。でもディランはやんわりと嫌がった。普段の私なら引き下がるんだけど、あの日はたぶん、どうかしてたんだと思う。

別にどっかに行くのなんてたいしたことなくない？　知り合いに会うのが嫌なら、スタンフォードとかリバモアとかまで遠出すればいいわけでしょ。[*20] それで、H＆Mでも行って、ちゃんとした服を買ってそれなりの見た目になったら、みんなあれこれ言ってきたりしなくなるって。

でも、ディランはそっぽを向いて答えなかった。都合が悪いとき、彼はだいたいそうする。それから返事をしない。指いじりをして、口をぎゅっと結んでる。そのときもそうだった。

ねぇ、とハンドルを指先で叩いて私はちょっと低い声を出した。なにがそんなに嫌なの？　私と一緒にいるの、見られたくない？

違うよ、とようやくディランは答えたけど、私のほうは見なかった。週末はジェシーと約束してるんだ。リサも来たいなら別に、来ても、いいけど。

私はデートがしたいのに、ディランは全然わかってない。

ジェシーもたぶん嫌がらないと思う、と私の気持ちに気づかず、ディランは続けた。ガレージに迷路を作ってるんだ。もうすこしでできそうだから――

迷路。

なんで男の子ってこうなんだろう。

それでついカッとなった。たぶん言い方が良くなかったんだろう。ディランも珍しく声を大きくして、迷路作ってなにが悪いんだよって言ったから、もっとカッとなった。喧嘩の内容はよく覚えてないけど、最後に言ったことだけは覚えてる。一番言っちゃいけないことだった。

あんたなんてただのナードじゃん、パパに殴られても抵抗できないくせに。そうやって一ミリも世界を変えられないまま死んでいくんだ。最高の人生だね。好きにすれば？

息を吸った彼は私をきっかり十秒睨みつけて、車を降りていった。ヘッドライトの向こうに待っていた闇に飲み込まれるまで、一度も振り返らなかった。

＊

僕たちは手始めに、Mirai の情報をかき集めた。わからないことだらけだったけど、ネットワークについて理解しないといけないことだけは明らかになった。とたんに気持ちがくじけて、重力に逆らえなくなった。

勉強は面倒だ。あまり好きじゃない。勉強をしなければならないと思った途端に背骨が砕けてしまう。ディランも同じ気持ちだったらしく、理屈なんてどうだっていいだろと文句をたれた。とりあえず学校のなんかをハックすればいいんだ。学校のネットワークにつないで、黒い画面でなんか打ち込んでさ。

彼のことばはいちいち曖昧だ。「なんか」は具体的ななにかでなければならない。しかし僕たちはその「なにか」を知らなかった。やる気を半分失ったまま、僕はゆっくり十日くらいかけてインターネットを検索し、「なんか」というのは「ＩＰをスキャン」というやつのことだ、と突き止めた。ＩＰスキャンをすれば、ネットワークにぶら下がっている機器がだいたいわかる。それに対して片っ端からログインを試すのだ。Ｔｅｌｎｅｔ[*21]というやつでログインできることもあるらしい。

これを発見したとき、僕は珍しく興奮してディランにテキストした。ディランも大喜びで早速やってみようという。授業中だったけど、一番うしろの席で僕たちはさっそくスキャンをはじめた。もたもたしているうちに授業は終わってしまい、先生から教室を出ていくようにと言われたので、僕たちはそのまま廊下のロッカーのかげに座り込んで作業を続けた。廊下の大きな窓から白いあかりがぼんやりと入り、パパが買ってくれたぴかぴかのMac Book Proのリンゴマークが、その光を反射して床に光のかげを作っていた。

廊下からは誰かの騒ぐ声が響いているけど、僕たちのところへはやってこない。でも声が聞こえるたびにディランはむっとした顔をして、紺色のパーカーの袖をぐいぐいと引っ張った。彼が動くたびに、ヒンジの歪んだ古いWindowsラップトップのモニタが動いた。

ＩＰのリストを取得するのは思ったよりもずっと簡単だった。誰かのブログに書いてあったとおりにコマンドを打ち込むと、ポートとかいうやつの情報までとれてしまった。そっちはよくわからなかったので、まずはＴｅｌｎｅｔのログインを試すことにする。侵入できたらMiraiを改変したコードをぶちこめばいい。オーケイ、やってやろうじゃないか。

これ、つながった、と試行錯誤の後、ついにディランが口をきいた。先を越されたのは悔しいが、良いニュースなのはまちがいない。でも、彼は浮かない顔だ。理由を聞くと、ユーザ名とパスワードを求められたという。とりあえずありそうなやつ入れてみたけどだめだった。しかもロックがかかりやがった。

彼のPuTTY[*22]には、「アクセス不能」でも「接続できない」でもないエラーメッセージが表示されている。

「ユーザ名もパスワードもなしってのはやってみた？」

「やってない」

「一応やってみよう。アドレス教えて」

どうかなぁ、と珍しくディランは弱気なことを言った。ユーザ名も設定されてないなんてことあるのかな――

僕は構わずターミナルにコマンドを打ち込んだ。

```
Trying xx.xx.xx.xx...Connected to xx.xx.xx.xx.Escape character is '^]'.
```

```
[Password:
```

あれ、とディランが僕のターミナルを覗き込んで声を出した。さっきと違う。さっきは"Username"って表示されたのに。もしかして今ログインしてるユーザが使われてるのかな。

Macだからかも、と僕は答えた。とりあえずこれは一回リターンで抜けて、次に出てくるやつで試せばいいんじゃないかな。

僕はなにも入力せずにリターンキーを叩いた。思ったとおり、コマンドラインに"Username"と表示され、入力を求められている。息を吸い、リターンキーを一回、二回――

```
XXyy Rev.8.03.90 (Fri Jun 25 xx:xx:xx 20xx)
Copyright (c) 1994-20xx XYZ Corporation. All Rights Reserved.
xx:xx:xx:xx:xx:xx, yy:yy:yy:yy:yy:yy,
Memory 32Mbytes, 2LAN
>
```

僕は手を引っ込め、ディランに視線を送った。

よくわかんないけど、入れたみたい。

3

とりあえずハイタッチをして成功を祝ったものの、僕たちは自分たちがなにをやったのかよく理解していなかった。次になにをする？　とディランが僕に聞くけど、まったくノープラン。つまりまた壁にぶつかってしまったわけだ。次の「なにか」を見つけなければならない。

あてもなくログインを試行するだけなら、なにも考えなくてもいい。けれどもそこから先に進むためには知識が必要だし、理解しなければならなかった。すこしは努力しろと、見えない存在に怒られている気分だ。

でもそれ以前に比べると、僕はずっと「なにか」に夢中だった。ガイダンスやヒントや攻略サイトはないけれど、ハッカーのようなことをしているという実感があったからかもしれない。

三日ほど悩んだ末、なんとなくログイン直後の表示される会社名を検索してみたとき、やっと活路が開いた。表示されたメーカーサイトにマニュアルのダウンロードリンクがあったのだ。わかった、と僕はディランに告げた。型番を調べれば使い方がわかる。「穴をあける」っていうのもできるかも。

ほどなくして僕たちはユーザを新たに追加して、パスワードを設定した。管理画面をＷＥＢブラウザから見られるようになると、さらにいろいろなことがわかった。僕たちがアクセスしたのは「ルーター」というやつで、ただのＰＣではないらしい。ますますいい感じだ。

監視カメラネットワークに入れたのはそれから一週間後だった。家からも作業できるようにＶＰＮ[*23]ってやつを立てたりしていたら（これはパパのアイデア。学校から家のＰＣに接続したいときはどうすればいい？　って訊いたら教えてくれた）、思ったよりも時間がかかってしまった。でも実際に手を動かして設定を入れたりしていると、ネットワークのこともなんとなくわかってくるし、さほど苦とは感じない。わからないことはたくさんあるけど、試行錯誤の末に成功すると、なんともいえない快感を味わうことができる。テストでいい点を取るのとは違ってすごくクールだ。

監視カメラの設定を少しいじり、ブラウザから管理画面を出せるように変更すると、ようやく実感が湧いてきた。僕たちはスクリプトキディじゃなくて、ちゃんとしたハッカーだった。自分がなにをやっているか完全に理解して、それを実行してるんだ。これはすごいことだ。たぶんクラスメイトの誰もこんなことはできない。

次はなにをする？　と僕が尋ねると、ディランはちょっと悩んでるみたいに顎を引いて唸り声を上げた。僕はちょっと焦れて、Miraiってのを入れてみる？　と重ねて訊ねた。ルーターってMacとかWindowsとＯＳが違うみたいだから動くかどうか確認してみようか。

でもディランはいかめしく首を横に振った。その前にちょっと遊んでみようぜ、と彼はそのままの表情で言う。目が輝いて、興奮しているのはすぐにわかった。世界を壊す前にあいつらにちょっと猶予をやろう。引き金は俺たちの手にある。

引き金は俺たちの手にある！　最高にクールだ。

カメラにはいろんなやつが映っている。腕を絡ませて歩いているカップル、すれ違いざまにジョックスに頭を叩かれ目を丸くしているやつ、廊下で教師と長く話し込んでいるやつなんかもいる。でもそんなのは面白くない。面白いのは、人目につかない場所にあるやつだ。

タバコを吸っているだけなら、まあ悪くない。酒を飲むのもハイスクールには必要な刺激だ。Ｗｅｂブラウザから操作してちょっとカメラを動かすと、彼らはわっと声をあげて一目散に逃げてしまう。ディランは手を叩いて歓声をあげた。最高だ、あいつらビビってやがる！　カメラに撃たれるとでも思ったのかよ。今からもっとやばいことやってやるからな、指くわえてそこで見てな！

次に現れたのは機械室だった。暗くてひと気はない。しかしすぐに手をつないだカップルが入ってきたので、僕は舌を打った。カップルなんて視界にも入れたくなかった。僕はモテないし、キモいし、ダサい。ディランでさえ彼女がいたことがあるのに、僕は女の子と手をつないだ経験すらないのだ。その事実を思い出すと、頭が爆発しそうになる。だから嫌だった。

カメラを切り替えようとする僕を手で制して、「こいつ、タイラーじゃないか」とニヤニヤしながら彼は言った。

たしかにそうかもしれない。タイラー・クラークスは最終学年の生徒でフットボールのスター選手だ。体が大きくて、金髪で青い目をして、いつも自信たっぷりににやけている。どこにいても女の子に囲まれてきゃあきゃあ言われている嫌なやつだ。ディランをロッカーに押し込むような陰湿なことはしないが、でもその様子を見てゲラゲラと笑っていることはある。すれ違いざまに肩がちょっとでもぶつかると、僕は文字どおり吹き飛んでしまう。できるだけ遭遇したくない相手であることに間違いない。

彼と一緒にいるのは、知らない女の子だった。十年生ではないと思うけど、十一年生だろうか？ダークブラウンの長い髪の毛を片側で三つ編みにしていて人気の歌手みたいだ。灰色のニットに膝丈のスカートに大きな黒縁のメガネっていうのも、優等生のポップアイコンを真似しているとしか思えない。でもタイラーが好きになるタイプの、つまりチアリーダー（クイーンビー）をやるような女の子には見えなかった。だからちょっと変だなって思った。

「キャスだ」

「知り合い？」

「リサの妹だよ。九年生の」

ああ、と僕は思わず顔をしかめた。リサは、つまり、平たく言うと、ディランの元カノだ。急にディランに近づいてきて、ある日突然振った。きっとディランをかわいそうがって近づいてきたけど、我慢ならなくなったのだろうと僕は思っていた。ディランは異性からしたら間違いなくキモいタイプだ。僕と同じで。

「タイラーってさ、ガールフレンドいたよな、チアの」並びの悪い歯を見せてディランは言った。「なのにキャスにも？」

「知らない」

「YouTube に公開したら面白いことになりそうじゃないか？　Live Leaks[*24] でもいいかも」ケッと鼻を鳴らしてディランは声を高くした。「オーケイ、兄弟（bro）。録画しとこうぜ。そしていいとこでカメラ動かして脅かす！　音も出せたらいいのにな。バンバン！　ってさ」

どうでもいいよ、と僕は思わず口にした。カップルなんて最悪だ。しかもそれをディランの隣で見るなんて。この状況は地獄としか言いようがない。ディランは僕の弱々しい拒絶を無視して、録画ボタンを軽快にタップした。

最悪の趣味だ。

横目でモニタを睨む。女の子はタイラーのたくましい胸の前に右手を置いている。タイラーは右腕を広げている——なにか変だ、と僕は思った。

首を傾げ、腕を広げてタイラーは何かを喋っている。タイラーの左腕はまだ彼女の腰に触れているが、彼女はまったく気にしていないように見えた。顔を上げて、真正面からタイラーを見ている。手は彼の胸の少し前において、体を引いている。

拒否。

これは、拒否だ。これ以上近づくなと言っている？

タイラーは右腕を広げて彼女を懸命に説得しているらしかった。背中を少し丸め、時々右手を上下させて口を動かしている。しかしキャスは視線をそらさない。彼女の右手はまだタイラーの胸の前だ。

はん、とディランは腕を組んでそっくり返った。ざまあみろだ、と彼は言った。どうせ今の彼女と別れてからねとか言われてんだろ。キャスって結構頭固いからな。ざまあみろ。やっちまえ！

僕はわからなかった。ディランはなにをやれと言ったのか？　キャスを一発殴れとタイラーに言っているのか？　それともその逆か？　ディランもリサと別れたときにそんな会話をしたのか？　彼はどうしたんだろう、と僕は思った。彼のクソ親父がそうするようにリサを殴ったんだろうか。それでリサに振られた。もしそうだとしたら、彼もやはりクズだ。僕だったらそんなことはしない——

いや、どうだろう、と僕は自問した。もしかするとイライラして彼女を詰るかもしれない。だってここまできたのに。ふたりっきりになって、キスまでして、なのに、どういうこと？

モニタの中で不意に影が動いたので、僕は我に返った。ニタニタと笑っていたディランも目を丸くし、そして細めた。影が太い腕をふるい、華奢なキャスをひっぱたいた——ように見えた。

ノー。

彼女の口は言っている。声は聞こえない。でも、ノーと言っているのはわかった。しかしタイラーは止まらなかった。彼女を床に引き倒し、押さえつける。彼女がむちゃくちゃに腕を振り回したので、彼は大きな手のひらでキャスの頬を張った。音は聞こえないはずなのに、彼女の悲鳴が聞こえたような気がした。

僕たちはふたりとも動けなかった。ディランにいたっては息まで止めているように見えた。モニタの中では黒い影が動いている。タイラーの顔は映っていないが、キャスが泣き叫んでいるのはわかる。彼女はノーと言っている。ちょっと待ってでも、今はダメでもなく、「ノー」だった。完璧なる拒絶だった。影に押しつぶされながらも彼女は逃げようともがいている。

僕は混乱した。警察に連絡をすべきではないか？　今、高校の、どこかの機械室で女の子が襲われています。襲っているのは十二年生で、襲われている女の子は九年生です――それとも学校に連絡して機械室を見に行ってくださいと頼む？

どちらを選択しても僕たちが監視カメラをクラックしたことはバレる。クラックはどれくらいの罪になるのか、僕にはわからなかった。あるいは今すぐ僕たちが機械室に飛び込んでタイラーの頭に本物の銃弾を撃ち込むか？

でも、と僕の頭は否定した。それじゃ間に合わない。今から学校にかけつけてもきっとタイラーは逃げたあとだろう。もし間に合ったとしても、彼に殴られたら僕は吹き飛んでしまう。ディランだって放り投げられておしまいだ。それに、僕たちには銃がない。世界を壊す銃はあるのに、女の子ひとりを救うための銃を僕は持っていない。

心臓がすごく痛い。体中から汗が吹き出して、腹から下がドロドロとしたモンスターに飲み込まれてしまったような錯覚をする。動けない。どうしたらいいかわからない。指が痙攣（けいれん）してトラックパッドを叩いた。その偶然が、一番近くにあったボタンを押した。

タイラーがこっちを見る。レンズ越しに目が合った錯覚をする。そんなはずは絶対にないのに、僕を睨みつけ、殺しに来るような錯覚をした。僕は悲鳴をあげ、ばたんと音を立ててラップトップを閉じた。

*

ディランが来たとき、てっきりキャスが帰ってきたのかと思った。扉をあけたママは、ああ、と気落ちした声を出してリサはいないのよ。ごめんなさいねと言った。それでディランが来たとわかった。また寄ってちょうだい。あの子も喜ぶわ。すこし冷たい声だった。

全部嘘。私はリビングにいてソファの影にいたし、ディランと会っても気まずいだけだから全然喜ばない。ママは嘘ばっかり言って、子供をコントロールしようとする。ほんとはディランのことが気に食わないんだ。彼の家族がみんなとんでもないデブばかりだとか、あまりちゃんとお金を稼げてないとか、彼がしょっちゅう怪我をしているとか、いろいろと理由はある。まとめると、とにかく気に食わないってこと。だから私と付き合ってほしくない。ママの思想は歓迎しないけど、ディランに会いたくないのは事実だから私はソファの影でおとなしくしてた。

ディランは落ち着いた声で、表にリサの車があったから、と食い下がった。ディランはそういう子だ。観察眼があって、絶対にごまかせない。付き合ってたときはそういうところが面白くて好きだった。いま、彼の声を聞いてやっぱり嫌いじゃないなって思った。恋人としてはだめだったかもしれないけど、友達に戻るならチャンスじゃない？

だから、私はママを押しのけて外に出た。

日は落ち、ベイの方角が真っ赤に染まっている。最近は不機嫌な天気も多いのに、嘘みたいにおだやかで美しい夕暮れだ。ディランはポーチに所在なさげに立って、肩で息をついている。冬の始まりが感じられる寒い日なのに、鼻の頭に汗を浮かべて、いかにも走ってきましたっていうふうだった。私は道路の方へ視線を送って、車は？　って言った。骸骨坊（スケルトンボーイ）やに送ってもらったんじゃないの？　彼の頭の上で白樺の葉がさらさらと音を立てている。

誓ってもいいけどディランは自分から運動をするタイプじゃない。彼がよくつるんでるジェシーっていう骸骨坊やに比べたらマシだけど、とにかく椅子にはりついちゃったみたいに動かない。だから汗をかいてるなんて異常事態もいいとこだ。

ジェシーの家から走ってきたって、ディランは胸を押さえてとぎれとぎれに言った。息を吸って、吸ってる途中でしゃっくりみたいな音をたてて、さらに吸って、ちょっと吐く。体育のあとでもこんなディランは見たことがない。

あの子と喧嘩したの？　ってあたしはちょっと不機嫌になって訊ねた。

私達がまだ付き合っていた頃、なんで骸骨坊やなんかとつるんでいるのかと聞いたことがあった。あの子ってちょっと変わってるよね。ずっと人の顔を見てるし、急にニヤニヤするし、やけに距離が近いし、それに骸骨みたい。ディランはちょっと怒った顔になってジェシーは悪いやつじゃないよ、と反論した。

俺の話を茶化さないし、親父をやっつけろとか、戦わないのは弱いからだとか言わない。家族だからいつかわかりあえるとかいうクソみたいなことも絶対言わないし、いいやつだよ。それにゲームがうまいし。

要するに似た者同士の臆病者(ナード)ってわけ。

「違う。キャスが……」息と一緒に切れ切れに声を吐き出してディランはぎょろりと目だけを動かした。

薄闇の中に今年最後のバラの匂いが漂っている。ママが毎日手入れをするバラは毎年十一月近くまで花をつける。バラが全部枯れて雨が増えたら、冬が来たねって話をする。

よく手入れされた庭にいるディランはあきらかな異分子だった。私はいらいらしてパーカーのポケットに手をつっこみ、スマートフォンを引っ張り出そうとした。キャスに連絡をとれば、この事態が解決すると思ったのだ。ディランはまた息を吸って、今度は一気に言葉を吐き出した。

「タイラーって知ってる？　フットボール部の。あいつがキャスを殴った」

＊

夕食のことは覚えていない。ママがなにか言っていた気がするけれど、それも覚えていない。電気を消して、僕はベッドに仰向けで横たわり、胸の上で手を組んだ。そうしていると棺桶の中に戻ったみたいで心が落ち着く。部屋は暗く、ママが毎日整えるベッドは少し硬くて冷たい。いつもとかわらない夜だ。今日一日、僕にはなにもなかった。ノートは盗まれなかったし、壁に向かって突き飛ばされたりもしなかった。先生には無視され、クラスメイトは僕を空気のように扱っている。学校にいるとき、僕は壁になる。誰からも無視される存在になろうとする。時々なにかがぶつかってくるけど、僕は壁だから全然痛くない。

なにもない一日だった。いつもと――

暗闇が胸を押している。ぐいぐいと押して、僕の息の根を止めようとしている。

こういう気持ちになったとき、僕が繰り返し思い出すのはディランの頬に点々と浮かぶ傷のことだった。僕のママにどうしたのと訊ねられたときは寝てる間に引っかいたみたい、とごまかしたくせに、僕にだけはクソ親父にやられたと話すディランの顔を、僕はどうしても思い出せない。耳を掴んで振り回されると皮が破れるんだぜと話す声は笑っていたような気がするのに、彼の表情を思い出せない。

あのとき、僕はなにも言わなかった。なにを言うべきかわからなかったから、なにも聞かなかったふりをした。僕はクソで、ダサくて、おまけに壁だ。たったひとりの友だちのことも思いやれないクズだ。ディランは僕を壁みたいに扱わなかったのに、僕は自分から壁になった。

本当はわかってる。僕が粗雑に扱われるのは、僕がキモいと言われるのは、僕に彼女ができないのは、全部僕のせいだ。僕がクズだからだ。今だって勝手に壁になって、なにもなかったと思い込もうとしている。キャスは泣いていたのに、ノーと言ったのに、僕は助けなかった。なにもしなかった。そして怯えきって、ベッドの中に潜り込んでいる。

息を吸い、起き上がる。こんな気持ちで眠れるわけがなかった。階下からは音がする。たぶん、ママはドラマを見ている。ママの見るドラマはダサい。ダサい上に、この俳優さんのおでこはジェシーそっくりだわ、とか言う。額なんて誰でも同じなのに意味がわからない。ディランと僕が見ていた"The Silicon Valley"[*25]のことはなにが面白いんだか、と呆れていたし、とにかくクールのことはわかってない。ママはダサい。ママの言っていることはちっとも僕を救わない。その点、パパはクールだ。家の中ではだらしなくて、ひょろひょろで、背が低くて、ママにしょっちゅう細かいことを注意されてるけど、ギークの仲間だからクールにきまってる。パパならきっとキャスを助けに行った。僕がなにもしなかったことを知ったら、絶対に失望する。

でも、こんな僕を、どんな間違いを犯しても、あまつさえ犯罪を告白したとしても許してくれるのは、世界中でたぶんパパとママだけなんだ。

ラップトップを抱え、階段を駆け下りる。リビングから廊下に光が漏れている。誰かが早口で台詞を言っている。白々しいＢＧＭが気分を盛り上げる。でもそんなのはテレビの中だけだ。現実には僕の背を押すＢＧＭはない。僕の気分を示すＢＧＭもない。ただ重苦しい、逃げてしまいたい現実があるだけだ。

僕は光の中へ帰らなければならなかった。なにも難しくない、こう、切り出すだけだ。

ママ、ちょっと相談があるんだけど聞いてくれる？　今日学校で――

＊

もし、ディランがブランケットを持っていたほうがいいと言わなかったら。もし、ディランがパパに連絡をしたかと聞かなかったら。もし、ディランが監視カメラのクラッキングをしていなかったら。もし、ディランが世界を壊そうと考えなかったら。もし私たちが喧嘩をしなかったら、私が図書室でディランに声をかけなかったとしたら。

どうなっていたんだろう。

車の中でディランからいろんなことを聞いて、いろんなことを考えた。キャスを車に乗せて家に戻ると、パパとママがポーチで待ってて、私たちを迎えた。家は安全な場所だ。大人がいれば、私はもうがんばらなくていい。全部パパとママがどうにかしてくれる。そう思うとどっと疲れが出た。

ありがとうとパパがディランに急に手を差し出さなければ、全部おしまいのはずだったんだ。パパを見上げて、ディランは怯えた表情で後ずさりをした。私はとっさに、うちのパパったらすぐに握手したがるんだよ、と口を出した。そのあとはハグ。マジで変だよね。ディランはぎこちなく笑って、パパの握手にこたえた。たぶんそのせいで帰る機会を逃してしまったに違いなかった。

ディランはすぐに虚勢をはるけど、本当はいろんなことが怖いし、自分より大きな男性を前にすると頭が空っぽになって動けなくなっちゃうんだ。いじめっ子はそういうところを見抜くのがすごくうまくて、だからディランにちょっかいをかける。

両親がキャスを病院につれて行くと言うので、私とディランはキッチンで軽い食事をとることにした。キッチンは明るくて、赤いテールライトを照射される車の中とはまったく別世界でめまいがした。ママがピカピカに磨き上げた琺瑯のシンク、きれいに片付いた作業台、銀色の大きな冷蔵庫、壁にはめ込まれた電子レンジとオーブン。いつもどおりの台所なのに、舞台のセットみたいに見えるし、車の中にいたのは悪い夢だったんじゃないかと思えてくる。すべてのことに現実を感じられない。

なにか飲み物がほしい、と私は思った。頭の芯がしびれて、空腹だった。

ディランの顔色はどんどん悪くなってる。キッチンカウンターによりかかって、ぼんやりとしているけど、一瞬後には床にゲロをぶちまけてたっておかしくない。私がオレンジジュースでいいかとか、冷蔵庫にいちじくがあったから食べようとか、チーズもあるけど食べる？　とか話しかけても、なにも答えない。カウンターの一部になってしまったみたいだった。そういえば前に家にきたときも終始ぼんやりとしていたから、もしかするとキッチンにすごく嫌な思い出があるのかもしれない。ディランにはいろいろトラウマがあって、本人は大丈夫と言ってても気をつけてあげないといけない。付き合ってるときはそういうところが少し面倒だった。

ディランがなにも言わないので、私はひとりでずっと口を動かしていた。声を出していないと、変になりそうだった。キャスがバカだったんだ、といちじくのヘタをナイフで落として私は言った。声をかけられて、浮かれて。機械室に誰も来ないことくらいわかるのに、なんでついて行っちゃうかな。

一番悪いのはタイラーだけど、キャスもバカだよ。ごめんね、嫌なことに巻き込んで。でもありがとう。私一人じゃパニクってどうしたらいいかわかんなかったと思う。ほんとに感謝してる。骸骨坊やからは連絡あった？　警察に通報しといてくれればありがたいんだけど、映像をどっかに売るとかはやめてほしいよね。彼、どっちのタイプ？

ぬるりと視線を持ち上げてディランは私を見つめた。白目は充血して、ブルーグリーンの虹彩にキッチンライトが四つ映り込んでいる。電源が入ったばかりのロボットみたいな動きだ、と私は思った。

ディラン、あんたなんかやばいよ。座れば？

彼は口を開いて、まばたきをした。

あいつらは。

ディランの声は落ち着いている。興奮しているとき、彼はすごく早口になるし、声もきいきいと耳に触る。そういうところが人に嫌われる原因なのに、彼はそれに気づいていなかった。別に誰に危害を加えるわけではないから治す必要はないけど、でも普通っぽくない。だから嫌われる。ハイスクールっていうのはそういう世界で、その世界のものさしに合わせられなければ、私達は正しい階層からはじき出されてしまう。

今、ディランの声は落ち着いている。それだけで彼はまともな人間のように思われた。

あいつらは、暴力をふるいたくて隙を探すんだ。そしてお前が悪いんだって言いながら殴る。理由なんてなんでもいいし、いっそ理由なんかなくたっていいんだよ。だって殴りたいだけだから。逃げたって戦ったって、関係ないんだ。キャスはバカじゃないよ。ちゃんとノーって言った。なのに、あいつは殴ったんだ。ちゃんと言ったのに。あいつらは。

私は答えられなかった。ディランが怒っているのはわかった。今まで見たことのないくらい怒っていて、同じくらい深く悲しんでいることがわかっただけだった。

息を吸い込んで彼はもう一度あいつらは、と言った。

口をつぐんでディランはかっきり三回まばたきをした。彼の目には嘘みたいに大きな涙がたまっている。短く息を吸って、そこで彼は前にも先にも進めなくなってしまったみたいだった。ぼたぼたと冗談みたいな音をたてて、床に彼の涙が落ちた。

いちじくの白い果汁が指を濡らしている。私はそれをパーカーの袖口になすりつけて、ディランの手を握った。そうしなければならないような気がした。

記憶の中にあるより彼の手は骨ばって大きい。十年生のときは私よりも小さかったくせに、彼の背はいつの間にか伸びて私より大きくなっていた。今は私の口元が彼の鎖骨にちょうどぶつかるくらいで、以前よりずっと骨ばってた。ゴツゴツとした肩甲骨が手のひらに触れる。彼はいつの間にか大人に近づいている。たぶん私だってそうだ。でもそれに全然気づかなかった。

あいつら、と彼はまた震える声で言った。でもそれ以上は続けられなかった。喉の奥を鳴らして黙り込んでしまった。体がぶるぶると冗談みたいに震えている。

ごめんね、と私は言った。ディランは悪くないよ。キャスもバカじゃなかった。ごめん、ごめんね。ディランは殴らないもんね。どんなに怒ったって殴ったりしないよね、そうだよね、だってディランは強いもん。ごめんね。

*

警察の聴取はおどろくほどあっさりと終わった。
Mirai をばらまいたわけじゃないし、学校に損失を与えたわけでもないからカリフォルニア州の法律では無罪なのだそうだ。たまたま犯罪行為を目撃し、それを警察に通報しただけってことらしい。ラップトップの中に Mirai のソースコードがあったので警察でも僕はすこし怒られた。もし映像を公開してたら罰金じゃすまなかったとも脅された。でも通報したことと映像を提供したことは褒められた。聴取したのは腕が僕のウエストくらいある警官だったけど、彼は椅子にそっくり返って僕に笑いかけた。学校じゃきっとジョックスだったに違いないのに、彼は僕に笑いかけた。なんだかすごく奇妙な感じがして、僕は応対するにふさわしい態度を取れなかったと思う。

ひとりでやるなんてすごいじゃないか、と彼は言った。君がホワイトハッカー[26]ってやつなんだな。悪と戦うヒーローだ。ご両親はきっと君のことを誇りに思ってるよ。僕はなんと答えていいのかよくわからなかった。

一方で学校は思いのほか厳しい罰を僕に与えた。

ひと月の停学。

彼らは僕を人に害を与える邪悪な存在であると考えたのだった。たしかに僕は邪悪だったかもしれない。本当はディランの功績なのに僕が全部横取りしたんだから、その点については責められても仕方がないはずだ。停学は一方的な電話で知らされ、反論の余地はなかった。ママはそのことにすごく腹を立ててた。でも僕は、どういうわけかなんとも思わなかった。

停学中は思っていたよりも忙しかった。料理をしたり、庭にソファを引っ張り出してひだまりで本を読んだり、Python[27]やTensorFlow[28]を触ったりする。時間が飛ぶように過ぎ去ることを、僕はむしろ残念に思った。美しい秋の終わりに木々が少しずつ色を変えるのをずっと眺めていられるなんて、すごく贅沢だ。

運動もちょっと始めた。カウンセリングで体を動かしたほうがいいと言われたし、僕を聴取した警官も同じことを言ったからだ。

はじめは近所の散歩だけで吐きそうなくらい気持ち悪くなった。でもベイエリアのあちこちにあるトレイルを歩いたり、ちょっとジョギングをしたりするうちに、少なくとも気持ち悪くなることはなくなった。最初のうちは一分走ったら心臓が口から飛び出してしまいそうだったけど、一ヶ月続けるうちに五分くらいは走れるようになった。

ママとミッションピークにも登ったし、リトルヨセミテ[*29]にも行った。来年の夏は本物のヨセミテに行って滝でも見てこようかなと言ったら、ママはすごく喜んでいた。不思議だ。僕の中身は全然変わってないのに、ちょっと運動をしたり、でかけたりするだけでママは大喜びだ。それもなんだか変な感じがする。

不思議なことにディランとは全然連絡を取らなかった。ディランも僕のことは忘れてしまったみたいで、訪ねてもこない。もしかしたら彼は僕のイマジナリーフレンドで、最初から存在していなかったのかも。一ヶ月すぎる頃には僕はそんなふうに思うようになった。

ごちゃごちゃしたつまらないなにかでいっぱいになっていた頭が整理され、敬遠していた難しい本の内容を少しずつ理解できるようになった頃、僕はこれからどうしようかとようやく考えた。学校に行く必要なんて、ある？　もちろん義務教育だから高校卒業はしなくちゃいけない。でも学校という場所に足を運ぶ必要はないんじゃないか？

その日は気温がぐんと下がって、庭のプラタナスがはらはらと黄色い葉を散らしていた。

ママとパパは結婚記念日だってことでSanta Claraのレストランに行くらしい。僕も誘われたけど、丁重にお断りだ。小さな子供じゃあるまいしって僕が言ったら、ママは珍しくゲラゲラと笑ってた。ジェシーも大人になったわね、だって！　ママは本当になにもわかっちゃない。

とにかくそんなわけで家に大人は誰もいなかった。僕は集中してラップトップに向かってた。茹でたフォーのことも完全に忘れ去って、プログラミングに集中していたのだ。最近の僕が熱を上げているのは競技プログラミングだ。まだデータ構造とか機械学習には手が出ないけど、簡単なアルゴリズムの問題なら解けることもある。一日考えて手がかりすらつかめなかったら、パパに訊けばいいし、もっといい解法がないかパパと一緒に考えたっていい。どうして今までこんな最高な環境にいるってことを知らなかったんだろう？　もっと小さい頃にプログラミングに興味を持ってたら、天才（Genius）は無理でも才能（Talented）があるくらいは言われるようになってたかもしれないのに。

何度書いてもリスト内包記述ってやつを忘れちゃうな、と思いながら僕はキートップを叩いた。めちゃくちゃクールな書き方らしいけど、直感的じゃない。平易に書いたあとに直す。その繰り返しで、気づいたらいつの間にかできるようになるってパパは言った。物事を上達する方法ってのはだいたいみんな似ていて、ある程度理解したら、あとは意識しなくなるまで繰り返すしかないんだって。

パパは他の家のパパみたいに冗談を交えたりしないし、俳優みたいな言い回しもできない。でも言葉にはちゃんと血が通っている。こうして停学処分を受けるまで、僕はその言葉とちゃんと向き合ったことがなかった。パパのことは尊敬してたけど、ギークだからすごいって、それだけだったんだ。なんにもわかってなかった。

実行ボタンをクリックして、テストの結果が出るのを待つ。競技プログラミングサイト上でコードを書いてサブミットすると、あらゆる条件を網羅するテストが行われる。すべてパスしたら、その問題はクリアだ。僕は両手を組んで、その上に顎を乗せ、結果を待った。いつも条件をいくつか見落としていて、テストに失敗してしまう。今回はどうだろう。最大値の場合の処理はした。ゼロの場合も大丈夫。奇数の場合は——

そのとき、ラップトップが通知音を鳴らした。聞き慣れた音だったけど、僕は戸惑った。えっと、なんの音だっけ？　テキストじゃないし、Slack[*30]でもない。アプリのアップデート通知でもゲームのアップデート完了通知、でもない。ぜんぜん違う。Dock[*31]の上でぴょんぴょん飛び跳ねているのは、ゲームコントローラを模したアイコンだった。

Discordじゃないか。

通知が一件。ダイレクトメッセージ。送り主は——ディラン。

反射的に僕は彼のアイコンをクリックした。新しいメッセージがひとつ、追加されている。

Hey, bro

Dockがまた更新を通知する。ブラウザアプリが楽しそうに飛び跳ねている。

脚注

1 米国の学校社会におけるヒエラルキーの中で、スポーツマンを主とした人気男性を指すステレオタイプのこと。米国ではスポーツのスター選手による暴力事件は軽い量刑となることが多く、二〇一〇年代後半頃まで被害者による告発が難しい状況にあった。同じく学校社会におけるヒエラルキーとして、テック系の知識に卓越しているものをギーク、サブカルチャー分野に興味を持つものをナードと呼ぶ。どちらも社会性が低いとされるが、ナードのほうが否定的な意味が強い。

2 米国 Discord 社が開発する無料のコミュニケーションツールのこと。ゲームコミュニティを中心に使用され、二〇二二年には月間アクティブユーザ数が一億五千万人を超えた。本作中の時期はまだゲームコミュニティでだけ用いられるマイナーなコミュニケーションツールであった。

3 Google・Amazon・Facebook・Apple の四大テック企業のこと。米国ではあまり用いられない略称。

4 分散型サービス拒否攻撃 (Distributed Denial of Service Attack) の略。標的のサーバーへ繰り返しリクエストを行うなどして負荷をかけ、サービスの提供ができないようにする。ネットワークインフラの革新によって二〇一〇年代頃から規模が拡大した。二〇一六年にＤＮＳサービスを提供していたＤｙｎ社に行われたＤＤｏＳ攻撃は当時の世界最大規模であり、攻撃に使われた発信源は十万台以上、1・2Ｔｂｐｓものトラフィックが流入したと言われている。犯人は今も不明だが、セキュリティ対策会社が顧客獲得と競合攻撃のために行ったという説やＥＡの新作ゲームに対する抗議という説もある。

5 トラフィックは交通量や通行量を意味する。ネットワークにおけるトラフィックとは、回線上で送受信されるデータ量のこと。

6 一四〇文字で発信するマイクロブログサービス、SNS。シリコンバレーを拠点とするテック企業のひとつ。

7 インターネットを利用した決済サービス。インターネット上での金銭の授受を仲介し、売主または買主が直接クレジットカード番号や口座番号を教えあう必要がないことが特徴。シリコンバレーを拠点とするテック企業のひとつ。

8 映像配信サービス。カリフォルニアを拠点とするテック企業のひとつ。

9 バケーションレンタルのオンラインマーケットプレイス企業。シリコンバレーを拠点とするテック企業のひとつ。

10 Internet Protocol を用いた通信で相手を識別するためのアドレス。ネットワーク上の機器には必ず割り当てられている。127.0.0.1 などのような数字をドットで区切ったアドレスを IPv4 、数字をコロンで区切ったアドレスを IPv6 と呼ぶ。IPv4 アドレスは枯渇しかけているため、グローバルなアドレスは IPv6 に置き換えられつつあるが、本作当時はまだ IPv4 が主流であった。

11 DDoS攻撃などの情報端末を使用したインターネット上の攻撃のこと。特定のターゲットを狙う標的型攻撃、不特定多数のターゲットを狙うフィッシングやクリック詐欺、負荷をかけてサービス提供不能とする負荷攻撃、ソフトウェアやOSなどの脆弱性を狙う脆弱性攻撃などさまざまな種類がある。

12 悪意のあるソフトウェアのこと。コンピュータウイルス、スパイウェアなどの総称。Mirai はコンピュータゲーム「Minecraft」のライバルホストを攻撃するために開発されたマルウェアで、開発者の三人は二〇一七年に有罪判決を受けている。日本とは全く関係ない。

13 ＩｏＴ機器とは、インターネットに接続された機器のうち、情報端末以外のもののことを指す。冷蔵庫、クーラー、テレビ、給湯器、照明機器などが身近であるが、自動車や鍵、医療機器なども増えつつある。機器は一般の情報ネットワークとは異なる通信方式が実装されていたり、機器の処理能力が限られていたりするため、セキュリティ対策がしっかりと施されていないものもあり、ＤＤｏＳ攻撃などの踏み台として狙われやすかった。

14 バージョン管理システム git のホスティングサービス。ソフトウェア開発におけるソースコード管理のデファクトスタンダードである。

15 アメリカ合衆国国防総省(United States Department of Defense)。

16 アップルやグーグルなどの有名テック企業がガレージで企業したため。

17 もともとハッカーとは「ハックする人」、つまり物事の動作を解析し、独自に改造や拡張を行う技術を持った人のことであった。現在では情報端末を使用して不正な手段で情報収集する攻撃者（クラッカー）の意味で使われるのが一般的。

18 ハックする技術や知識はないが、ハッカーの作ったスクリプトやソフトウェアを使用して他者へ攻撃を試みる人のこと。キディに侮蔑の意味が込められている。

19 コロンバイン高校銃乱射事件のこと。

20 カリフォルニア州アラメダ郡に位置する都市。サンフランシスコから東へ六〇km、Hayward からは車でおよそ一時間程度に位置する。

21 遠隔地にあるサーバやルータを操作するための通信プロトコルであるが、認証も含めてすべて平文で通信を行うため、情報秘匿性が非常に低い。このため現在では使用頻度が下がっており、SSHとよばれる、よりセキュアな通信方式が代わりに使用されている。

22 Windows でTelnet通信を行うためのリモートログオンクライアント。オープンソースソフトウェアとして開発・配布されている。Windows は標準でTelnetが有効ではないため、PuTTY や TeraTerm などのオープンソースクライアントソフトウェアを使用することが一般的であるが、Windows10 以降は WSL(Windows Subsystem for Linux) と呼ばれる Linux 環境を使用できるようになったため、今後クライアントソフトの必要性は薄れていくものと思われる。

23 Virtual Private Network の略。認証を通すことによって通信を暗号化し、仮想の専用ネットワークを構築する。

24 動画共有サービス。他の動画共有サービスと比較して、犯罪、暴力、災害などのショッキングな映像が多数投稿されることで有名だったが、二〇二一年にサービスを終了した。

25 米国のドラマシリーズ。シリコンバレーを舞台としたギークたちのスタートアップコメディ。二〇一四年に放送開始し、二〇一九年のシーズン6で完結した。

26 ハッカーという言葉に対して悪いイメージが定着してしまったため、善行でハックを行う者のことをホワイトハッカーと呼ぶようになった。悪意のあるハッカーにシステムをクラックされる前に脆弱性を指摘する活動を行う者のことを指す場合もある。

27 プログラミング言語のひとつ。

28 Googleが開発した機械学習のためのソフトウェアライブラリ。

29 ベイエリアからほど近いイーストベイ地域公園内にあるトレイル。自然豊かなハイキングコースだが、なぜリトル・ヨセミテと呼ばれているのかは不明。ヨセミテ国立公園内のハーフドームなどが見られる場所のことではない。

30 グループチャットをメインとするチームコミュニケーションツール。シリコンバレーを拠点とする成功したテック企業のひとつ。

31 Macのデスクトップ上にある、ランチャーのこと。使用しているアプリケーションや更新通知を確認できる。

眠れぬ夜のバックファイア

Backfire

1

まず、コーヒーを用意する。

夕方から午後九時はIn : Dreamのカスタマーサポートセンターが戦場と化す時間帯だ。コーヒーは最低限の装甲(アーマー)に過ぎない。本当の武器は耳と頭と口、そしてほんの少しばかりの想像力だ。それらの武器でカスタマーの要求を探り出し、障害ポイントを撃破する。それが私の仕事である。

今頃、仕事を終えて帰宅したユーザはわくわくとした気持ちで黒い化粧箱を開いているだろう。そっと壊れ物のように扱う者もいれば、待ちきれずに乱雑に開く者もあるかもしれない。いずれにせよ彼らは等しく「つ」を縦にしたような曲線を描くデバイスを目にする。そしてすぐに期待に胸をふくらませて装着するはずだ。

耳の軟骨に沿うアームは初めこそ冷たく感じられるが、すぐに体温になじんで装着していることを忘れてしまう。おそらくそのことに気づく前に、ユーザは鏡の前で夢中になって自分の姿を眺めているだろう。うまく装着できているか、どんなふうに見えるのか、眠るときにじゃまになったりはしないか、華奢に見えるがすぐに壊れたり歪んだりはしないか。

でもなにも心配はいらない。様々なユーザビリティテストと耐久テストを通過したデバイスは大きすぎもせず、小さすぎもせず、耐久性は十分だ。一方で、デザインも犠牲にはしない。シャンパンゴールドは華やかに、メタリックブラックはスタイリッシュに、定番のように思われるシルバーは槌目仕上げ加工の上品な雰囲気で所有欲を満たしてくれるだろう。ジュエリーを意識したデザインはIn：Dreamの特徴のひとつである。

デバイスの具合を確認し終わったら、ユーザは次のアクションのために箱へ注意を戻す。デバイスの厚みに対して化粧箱は高さがある。側面には引き出しがついていて、指を引っ掛けるための穴がある。高揚しているユーザは間違いなく、中を確認したいという思いに駆られるはずだ。そして彼らは引き出しの中にしまい込まれたピンクゴールドのラインが施された上品な箱と、充電用のケーブルを目にする。箱の中身はIn：Dreamを使用するにあたって必要な道具ひとそろい――琥珀色の液体が入った小瓶がひとつ、デバイスを収納するための黒いケース、しかし最も重要なのは、三センチメートル四方の小さな冊子だ。表紙は化粧箱と同じ黒色でIn：Dreamの文字がうっすらと浮き上がるように印字されており、開くとシンプルな手順が記述されている。

さて、ユーザがここまでたどり着くと、ようやく我々In：Dreamのカスタマーサポートセンターの出番がやってくる。ユーザは冊子に書かれているとおり、デバイスをタッチしてサポートセンターに連絡を取る。デバイスの中にはクラウドＳＩＭが内蔵されており、タッチしただけでサポートセンターにつながる。一呼吸置いて、私は落ち着いた声でこう切り出す。

In : Dream へようこそ。お客様の専属アドバイザーをつとめさせていただきます間宮と申します――

郵便受けに希望が届いていた。

今時珍しい茶封筒には「中口葉子さま」と宛名が手書きされている。裏は「高坂弁護士事務所」、こちらはスタンプだ。黒いインクがにじみ、少し傾いている。そういえば、と私は思う。あの弁護士さん、機械オンチって言ってたっけ。最後に会ったときも印刷できなくて焦っていた。紙がないって言うから入れたんですけど、なにも出てこないんですよ。今日は事務の女の子がお休みだし、サポートセンターにもつながらないし、参ったなぁ。松崎さんって用意を万端にしていても油断ならない方ですからね。向かい火くらいのつもりでいないといけないのに。額に汗を浮かべた彼の顔が情けなさそうに歪んでいたので、見ましょうか？　と言って私はソファから立ち上がった。

狭いが整然とした事務所だった。壁際の棚の中には案件ごとに書類がファイルに分類され、端から順番にきれいにならべられている。隙間があいたり、うっかり倒れたりしていることは絶対にない。そこに働く人々の性格がにじみ出る書類棚だ。机の上には余計なものなどまったく残されておらず、休みだという事務員の椅子にピンク色のひざ掛けが引っかかっているのが唯一の人間くささだった。

ところがプリンタ周りだけは勝手が違うらしい。

乱雑に積まれたダンボール、むき出しになり、半分減ったコピー用紙の束、コピー用紙を包んでいたカバー紙は乱雑に折りたたまれて足元のゴミ箱に突っ込まれている。プリンタの上には小さな平たい空き缶があり、クリップや使用済みのホチキスの針が無数に入っている。たった半径一・五メートルくらいのカオス。そのプリンタが使用する誰からも愛されていないことは一目瞭然だった。だからきっと、私は今でも彼のことを、いや、あの事務所のことを覚えているのだ。

意識をしてゆっくりと呼吸をする。

高坂弁護士事務所から連絡が来るのは十年ぶりだろうか。いきなり封をあけるのはおそろしく思われたので、私は封筒を天井のライトにかざして中を確認した。少し透けているので、たぶん——便箋紙が入っているだけだろう。もちろん便箋紙だけだったとしても、油断はできない。

これはどちらの知らせだろうか、と考える。どちらと言うのはつまり、良いほうか、悪いほうか。良いほうは変化がないこと、悪いほうは変化があるということだ。あれこれ調整が必要かもしれないし、最悪の場合は仕事を辞め、引っ越すことも考えなければならないかもしれない。

空っぽのポストの中に銀色の光が居座っている。私は思い出す。高坂弁護士事務所の立派な応接室でじっとしていた日のことを、手の甲に押し付けた親指の爪の硬さを、当事者が口を挟む余地のない話し合いという名の会議の重苦しさを、ブラインドが下ろされた窓から執拗に潜り込もうとする光が机の端に白い線を作っていたことを、そしてその時、私が繰り返し考えていたこと。

パンドラの箱の中に残ったのは希望だったと言うが、私はその存在こそが最も邪悪だと思っていた。暗闇に慣れた目をくらませる光は、私に痛みをもたらしただけだ。峻烈な光は私のような人間には暴虐以外のなにものでもない。でも、十八歳の春、私はそれを手にしてしまった。だからこんな目に遭っているのだ、と。

まずコーヒーを用意する。モニタ上ではちょうど、アプリのリストに新しい行が挿入されたところだ。新規ユーザがデバイスをタッチすると、その情報が即座にアプリに反映される。ＩＤと名前欄に初期値であるランダムな八桁の英数字が入っているが、それ以外の情報はまったく空で、リストの先頭に星のマークが光っている。空欄になっているリストの項目をすべて埋めるのが私の最初の仕事だ。

In : Dream へようこそ。お客様の専属アドバイザーをつとめさせていただきます間宮と申します。

いつものように定型句を口にしながら、私は耳をすます。背景は静かか、誰かがそばにいないか、動物や、テレビや、あるいはその他の音はないか。相手は大人か、子供か、男性か、女性か、年老いているのか、若いのか。私が知りうるユーザの情報は音だけである。音から家の状態を推定し、精神状態を予想し、顔の見えない人物の表情や、体格、性格、In : Dream を買った動機、良い睡眠を得られない本質的な原因を特定しなければならない。

　経営陣は今後のユーザ増を見込んで、この新規登録作業をチャットボットに置き換えるべく開発のロードマップを引いているが、私は懐疑的な立場にあった。最初のインストラクションほど大事なものはないのに、ただのチャットボットにその役目が務まるだろうか？　ユーザは新しいデバイスを手に入れたことに浮かれ、総じて機嫌がいい。彼らはいいことならなんでも話す。しかし悪いことは口をつぐんでしまう。新しいガジェットを手に入れた高揚感に水をさされたくないという心理が働くせいだ。しかし彼らにはこのデバイスを手に入れる切実な理由がある。本当になんの心配もなければ、In : Dream の存在を知ることとすらないのだから。彼らの抱える問題を聞き出すことが、成功のための最初の小さなステップなのである。

　ナカグチヨウです、とユーザは答えた。葉っぱの葉で、ヨウ。よろしくおねがいします。不安の混じった小さな声だ。私はボールペンでメモ用紙に走り書きをする。少し神経質かも？　しかし疑念は声に出さず、私は手順通りにカウンセリングを続ける。まずはいくつかご質問しますね、と私が言うと、「ヨウ」さんは、はい、はいとせっかちな調子で相槌を打った。

性別は女性、三十代、身長は一五〇〜一六〇センチメートル、体重は五〇〜六〇キログラム、ひとり暮らし、社会人。In : Dream を買った理由は軽い不眠、夜中に何度も起きることがある。仕事は激務だったりそうでなかったりと波があり、今は激務が終わった直後。基本的にはデスクに向かっている仕事なので慢性的な運動不足、でも運動はほとんどしていない。アレルギーはなく、薬が効きにくいとか効きやすいと思ったこともない。酒はあまり飲まない。コーヒーやお茶は一日五、六杯くらい。甘いものが好き。In : Dream は会社の同僚とかかりつけの病院から勧められた。言葉の聞き返しは少なく、やや早口、よく笑い声をたてる。

愛想のよいユーザだ。こちらが聞きたいことに対して的確なレスポンスがあるし、先進的なガジェットにも慣れていると言う。

いいユーザに当たった、と私は思った。たぶん彼女は手間がかからない。調整剤の量さえ決まってしまえば、あとはほとんどチャットボットにまかせておけるだろう。ケア指数、「低」だ。

茶封筒はとりあえず指の間にはさみ、玄関のドアをあける。左手に食い込む荷物を床において、ようやく私は安堵した。一向に弱まらない雨足のせいでいつ紙袋が破れるかと、気が気でなかったのだ。三ヶ月越しのささやかな楽しみを過去の亡霊に奪われたくない。

先に厄介事は片付けてしまおうと、私は玄関の明かりをつけた。ぱちんと音がすると同時に強烈な光が降ってきて、廊下の青白い光を締め出してしまう。靴を脱ぎつつ、雑に茶封筒の封を切る。中身は——やはり便箋だけだ。一枚を四つ折りにしてある。

昼白色の光の向こうから雨の音がする。雨樋を伝って落ちるしずくの音がやけに響くので、ここに越してきたばかりの頃はどこかに水が流れ込んでいるのではと心配した。でも今は静寂を際立たせるこの音が好きだ。

ショック死しないよう便箋を薄目で眺めていると、数字が見えた。０９０から始まる携帯電話番号だ。

結婚のご報告。

突然視界がクリアになって、文字が頭の中に流れ込んでくる。直接、結婚のご報告をされたいとのことです。誰が？　もう一度先頭に目を戻す。時候の挨拶、それから、松。突然文字が拡大されたような錯覚をして、慌てて私は背筋を正した。左肩下がりの忙しそうな松だ。その次は崎。上のほうはぐちゃぐちゃして、最後のハネだけやけに大きい。続いて、治。人。

松崎治人（はるひと）。

「松崎治人さんからご連絡があり、中口葉子さんに直接、結婚のご報告をされたいとのことです。もしよろしければ下記の番号をお使いください。当事務所が仲介することも可能です」

癖の強い字だが、縦の線は揃っている。

本当はだめなんですけどね、と行間から高坂弁護士の声がする。松崎さんたってのご希望ですし、中口葉子さんにはなんら罪はないのでお知らせした次第です。

ケッコンカア、と口から声が漏れた。いつも独り言を言うときと同じような声の高さ、音量だったが、空虚な響きがあった。私はほっとして便箋をもう一度丁寧に折りたたんだ。そしてまたケッコンカア、と言った。

高坂弁護士を通して私に連絡を取ろうとしている松崎治人は、私の大学時代の恋人だ。別れてずいぶん経つのに、律儀なところは昔のままだな、と私は懐かしく思った。そしてその思いを噛み締めながら、便箋をぽいとゴミ箱の中に投げ込んだ。

隣の席からコーヒーの香りが漂ってくる。私が視線を上げると、二ヶ月前に入（はい）ったばかりの同僚が右手の親指を立て、左手でカップを指さした。たぶん、開発部の誰かが旅行土産で持ってきたコーヒーだ。後で飲もう。でも今はユーザの対応に集中しなければならない。

どんな夢が見れますか、とヨウさんは控えめな口調で訊ねた。

マニュアルどおり、好きな景色をまずは想像してみてください、と伝える。たとえば映画とか、写真とか、行きたい場所とか、昔行った場所、そういったイメージを眠る前に思い浮かべると夢に出現する可能性が高いです。もちろん具体的なイメージがなくても、当社のデバイスが夢を検知してコントロールをはじめますから、どうぞご心配なく。

楽しい夢がいいな、とヨウさんは少し砕けた口調になった。旅行。旅行はいいですね。青い海とか白い砂浜とか。行ったことないけど。私が笑うと、彼女もアハハと少し親密さの含まれた笑い声を立てた。

私たちはリゾートの話をする。私も彼女もうすっぺらな知識しか持っておらず、たいした情報は出てこない。それを笑う。今のところ問題ない。彼女は緊張しているようだから、世間話をしてリラックスするくらいでちょうどいいだろう。あとは寝る前に飲む調整剤の量を伝えれば初日のミッションは終了だ。

「これって」

私が会話を切り上げる前に、ヨウさんは遠慮がちに切り出した。これって、なんですか？　なんですかって言うのは、えっと、どういう薬なんですか？

調整剤を摂取することに対して拒否感を示すユーザは少なくない。だから彼らの疑念をほぐすための説明はたっぷり用意している。私は短く息を吸い、笑顔を作り直した。声のトーンは落とさず、喉をリラックスさせ、意識して話すスピードを落とす。

体の中には交感神経と副交感神経と言うものがある。どちらも自律神経系に含まれており、ざっくりいえば活動時は交感神経が、リラックス時は副交感神経が活性化して体内の器官を制御する。In : Dreamはこの両方に働きかけてコントロールするデバイスだ。

しかし、自律神経に限らず神経を外部から非接触でコントロールするのは簡単ではないし、痛みを感じるほどの刺激が必要だ。眠るどころの話ではない。そこでIn : Dreamでは睡眠中に電気刺激を受け取りやすくなる調整剤を飲んでもらっている。

あー、なるほど、とヨウさんは私の説明に相槌を打った。触媒ってことですね。

どうやら化学の知識は多少あるらしい。私はそのとおりだと答え、調整剤のもうひとつの効用、眠りやすくなることも伝える。寝る直前に飲むようにしてくださいね。飲んでからお風呂に入るとそのまま眠ってしまうかもしれませんし、車の運転や、機械の操作もご遠慮いただいています。他の鼻炎薬や風邪薬と同じと思ってください。

なるほど、とヨウさんはまた短く相槌を打った。なるほど、が彼女の口癖のようだ。コントロールするってのはWebに書いてあったやつですよね。それがうまくいくと、えっと、夢が見られる、んですか?

どうやらIn:Dreamの制御の内容にも興味があるらしい。私は製品の説明に話を切り替える。

睡眠中は交感神経と副交感神経の活性化が交互に起こることがよく知られている。交感神経が活発になり、特徴的な眼球運動が起こっている状態をレム睡眠と呼ぶが、このときに人は夢を見るのだそうだ。交感神経が活性化していることは心拍数や呼吸数、体温で判別することができるし、眼球運動は筋電位で計測できる。

一方、副交感神経が優勢になると、眼球運動はおさまり、心拍数や呼吸数は減る。体温も下がり、ノンレム睡眠が始まる。このふたつの睡眠状態はおよそ九十分間隔で交互にあらわれ、ひと晩あたり数回観測されるのが一般的だ。

In:Dreamは耳に装着したデバイスで心拍数、呼吸数、体温、そして眼球運動を計測して、レム睡眠・ノンレム睡眠の判定を行う。そして個々のユーザの睡眠傾向にあわせて交感神経が活性化してきたらそれをサポートし、副交感神経が活性化してきたらそれをサポートするよう微弱な電気信号を送って快眠を提供する。自律神経の制御に関してはアセチルコリン受容体活性化法の詳細まで踏み込まねばならないので割愛するが、医療現場ではすでに一般的な治療方法のひとつであり、眠りの制御程度なら副作用がないことが確認されている。

ヨウさんは満足したようだった。ありがとうございました、と彼女は初めよりいくぶんか明るい声で言った。なんとなくわかりました。今晩早速試してみますね。

私は念のため注意事項を続ける。効き目には個人差がありますから、初回からうまく夢を見られるとは限りません。場合によっては悪夢になってしまうかもしれないので、もし目が覚めてしまったらデバイスは外しておやすみになってください。なにかあればご連絡くださいね。明日の同じ時間でしたら私、間宮が対応いたします。弊社のウェブサイトからチャットでご案内することもできますから、どちらでもご都合の良い方をお使いください。

いつもの、すっかり舌が覚えた決まり文句だ。けれどもヨウさんが妙に親密さのある相槌を打つせいで、心から彼女にいい夢を見てもらいたいという気持ちになる。耳の奥でぷつんと音がとぎれて通信の終了がリスト上に表示されても、私はしばらくその魔法の中に漂っていた。不思議な気持ちだった。

2

外からはまだ雨の音がしている。音は等間隔に聞こえるようでそうではなく、私は目を閉じてその音を数える。

今日はお風呂にゆっくり入った。子供のように肩まで湯船に浸かって百まで数えたので少しのぼせた。帰りにドラッグストアで買った入浴剤の花の匂いが、まだ鼻の奥に残っていて心地良い。髪の毛はちゃんと乾かしたし、あとは夢を見るだけだ。

サポートの女性が見たい夢をイメージするといいと言っていたな、と思い出しながら寝返りを打つ。どんな人なのかなとちょっと考える。なんて名前だったっけ、マエダ？　マツミヤ？　感じのいい声だった。彼女もリゾートに行ってみたいとか考えるんだろうか。青い海に白い砂浜——もし行くとしたら、会社は何日休む？　有給は溜まってるけど、長い休みはゴールデンウィークの飛び石連休を埋めるくらいでしか作れない。長くて十日といったところだろうか。安く上げるなら東南アジアだが、治安は気になる。映画で見た地中海やギリシャもあこがれるが、すこし高い。ハワイはみんな行ってるし、ちょっとつまらないかな。あとは——そう言えば沖縄もリゾートだ。パスポートがいらないし日本語が通じる。沖縄で思い出したが、瀬戸内も行ってみたかったんだった。そんなことを考えながら、タオルケットの中に腕をしまう。

雨音はまだ聞こえている。音にあわせて息を吸い、吐く。目をとじて、体の力を抜く。リゾート、南の島、白、青、強い光——

カチカチ、と眼の前がまたたいて私ははっと我に返った。いつの間にかパソコンの画面が目の前にあり、白い矢印のポインタが文字の邪魔をしていた。慌ててマウスを握り直し、ポインタを横にずらす。

息を呑むエメラルドグリーンの海と、風にはためく白いビーチパラソル。セブ島。南国リゾートを満喫できます、という文字。机の上にほったらかしているコンビニの袋がその文字の一部を隠している。

私はため息をついて少し笑った。一生懸命参考資料を探したせいで、それがそのまま夢に出てきてしまったらしい。南の島でくつろいでいるところではなく、まだ旅行先を選んでいる段階だ。いかにも優柔不断な私らしい感じがするし、こういう現実そのものを繰り返す夢ならよく見る。あまり楽しくないし、疲れるだけのやつだ。でも、私らしい。

笑いながら画面をスクロールする。南国の繁茂する木々、サイパン、ビーチに並べられた長椅子、天蓋のあるベッド、ヤシの木、極彩色の魚たち、イルカ、断崖絶壁、マングローブの森、プーケット、三角屋根のコテージ、モルディブ——さっきまで座っていた椅子の上にあぐらをかき、机に頬杖をついて私はどれもいいなと思っている。東南アジアはお値打ちだけど、たぶん新婚カップルが多いんだろう。そういうところはちょっと——

ケッコンカア。

不意にその言葉が口をついて出た。まぶたの裏を染めていた鮮やかなコバルトブルーが減色し、目をいじめる青いブルーライトだけが残る。

ケッコン。

結婚。

このままひとりで生きていくつもり？　なにかあった時にどうするの。子供を産むのはタイムリミットがあるんだから。

三十歳前後の独身女性なら、一度ならずともそんなことを言われた経験があるはずだ。焦っていても、そうでなくても、絶対に言われる。でも、三十五を過ぎたらぱったり言われなくなったと知り合いは言っていた。だから大丈夫。歳を取るのは楽しいことだよ。どんどん楽になる。体力と時間はなくなるけど、そんなもの金で買えばいいの、金で。こわばった胸に明るく優しい言葉が染み込むまで、私は画面に目を凝らす。

よくみると粗があるな、とモニタを眺めながら私は思った。目がチカチカとするし、彩度を上げすぎて下品だ。ただの加工しすぎた写真じゃないか。きっと現地に行ったらがっかりするんだろう。だったらどこだっていい。ひとりで行って話のネタになるところにしよう。モルディブ。モルディブはいいな。モルディブの水上コテージ。絶対勇者だって笑ってもらえる。私はまた画面をスクロールする。シチリア島、ニューカレドニア、フィジー、グレートバリアリーフ、モナコ、ドゥブロヴニク——羽田から出る便がいいな、と私は頭の中で計画を思い浮かべる。絶対に羽田のほうがいい。成田は遠いし、それにお母さんにバレるかも——

母のことを思い浮かべた瞬間、体中に電撃が走ったような錯覚をした。しびれや痛みより先に心臓の鼓動が早くなり、忘れていた肩の凝りが現実のものとして迫ってくる。お母さんにバレるかも。海外なんて無理だ。だって急に電話がかかってきたらどうする？　すぐに帰ってこいって命令されたら？　お母さん、お父さんを殺しちゃうかもしれない。もしお母さんが殺人犯になったら、帰って来なかったあんたのせいだからね。

パソコンの光が遠くなる。かわりに深い闇が頭の上にのしかかり、体を押さえつける。私はたまらず悲鳴をあげ、そして夢から覚めた。

まずコーヒーを用意する。

担当しているユーザの状況をチェックする。カスタマーサポート専用アプリを開くと、リストの中に赤いマークがついている。ユーザ名は「ナカグチ　ヨウ」。昨日の新規ユーザだ。

In : Dreamで収集されたデータは、LPWAN[*1]経由で定期的に私達のところへ送られるので、私達はユーザがどんな睡眠体験を得たのかすぐに把握することができる。赤いマークがついているのは、入眠制御が一度も成功しなかったか、ごく短時間で覚醒してしまった場合だ。良くない。

私は慌てて詳細情報を開いた。彼女が睡眠状態に入(はい)ったのは午前零時半、現代の独身女性としては特に遅い方ではないだろう。詳細情報画面には睡眠深度の時系列グラフが表示されている。一番上の赤い線は覚醒のしきい値、その下にある緑色の線はレム睡眠とノンレム睡眠のしきい値だ。グラフによれば彼女は入眠後、深い睡眠には入(はい)らず二十分ほどで覚醒している。入眠失敗。そのあとの記録はない。多分デバイスを外して眠ったのだろう。

睡眠深度のグラフをクリックすると、心拍、呼吸数、体温、眼球運動のグラフが前面に飛び出してくる。横軸が時間、縦軸は強度(インテンシティ)、使用開始から十分ほどで特徴的な眼球運動がはじまっており、ノンレム睡眠状態にあったことがうかがわれた。

彼女は夢を見た。けれどもそのせいで目が覚めた。悪夢だったのだろうか?

ユーザの体質によっては調整剤の服用量を決めるまで時間がかかることがあるし、体に合わない場合もある。だからIn:Dreamでは一ヶ月の無料サポート中にユーザが返品を申し出れば、全額返金したうえで返品対応を受け付けることになっている。初日で失敗したユーザの返品率は八十パーセントを超える。

登録されているメールアドレスにメッセージを送る。入眠制御に失敗したことを詫び、調整剤の量のアドバイス、疑問や質問があればいつでも連絡をしてほしいこと、調整には時間がかかること、いつでも全力でサポートするつもりでいるということ、もうデバイスを使う気になれないという場合は返品も可能だが、調整剤の服用量を決めるには平均して三回か四回はかかるので気楽に考えてほしいこと。押し付けがましくなく、できるだけ親身に、定型文を少し崩して書く。どうか読んでほしいと願ってメッセージを送信する。

机の上のコーヒーを口にして、私は気をもんだ。医療機関と連携したセールスにくわえ、ふた月ほど前から積極的にCMを打っている成果があってユーザ数は増えているが、そのかわりユーザの離脱率は顕著に上昇している。初日の入眠制御失敗は、ユーザにとってはもちろんだが、私達にとっても非常にナーバスな事態である。眠りほどパーソナルな領域にあるものはないし、期待に反して悪夢を見るとユーザは普段以上に腹を立てる。不満を最初に預かるのはカスタマーサポートチームであり、クレームの増加はチームの士気低下につながる。とにかく初日の入眠制御失敗は致命的だ。

ヨウさんもきっとがっかりしただろう。昨日、彼女は言っていた。ずっと不眠で悩んでるんですけど、お医者さんはストレスをためないようにって言うだけじゃないですか。ストレスをためない方法知りたいんだよねって同僚と話をしてたらIn : Dreamがいいって聞かされて。病院でも勧められたし。

よくある理由だ。In : Dreamの元となった制御手法はすでに医療現場で実績のある方法であり、高齢者やＩＣＵ患者の睡眠改善に特に効果があるとされている。交感神経と副交感神経にかかわらず、神経に作用する薬物を投与する医療全般にまで領域を広げれば、心療内科の分野でも効果が認められており、気分障害や発達障害の症状改善例も多くある。定期的に薬を飲むことができないユーザにはIn : Dreamのような装着型ではなく、簡単な手術で体内に制御装置と電動薬剤注入器（インジケータ）を埋め込むことが多いが、やっていることはほぼ同じだ。

だが、どんなに実績のある方法でも、すべての人に対して有効であるとは言えないのが医療および生体工学の宿命なのだった。

ヨウさんから折返し連絡があることを祈りつつ、技術からのメールも確認する。昼の時点で問題は共有されており、サポートエンジニアの大磯さんからメッセージが届いていた。

超短時間での入眠制御失敗はユーザ自身の問題と思われます（たとえば当日嫌なことがあったとか、体の調子が良くなかったとか）。まずは夢よりも深い眠り入れることを優先したいですね。十時くらいまでは電話取れるようにしておくので、なにかあったらよろしくおねがいします。

私はほっとした。大磯さんが対応してくれるなら心強い。

そうこうしているうちにヨウさんのデバイスがアクティブになっていた。メッセージを確認したかどうかはわからないが、昨日の失敗にはめげずにいてくれたらしい。私はすこし安堵して手元のボタンを押して受信承諾を待った。

「あれ、え？　あ、これって……音声でつながるんですね」

ヨウさんの第一声は困惑だった。特に不機嫌ではないようだ。チャットでのやり取りの仕方も案内するが、このままで大丈夫だと彼女は笑った。なんか赤いのが点滅していたので充電できてなかったかなって思ったんです。昨日はすぐに目が覚めちゃったし、もしかして初期不良なのかなって。

ひとまず私はほっとした。もう一度謝罪をし、手順どおりに状況の確認をする。

「なんか――」言いよどんで彼女は息を吐いた。「夢は、見たんですけど、ネットで旅行先探してるとこだったんです。おかしいですよね。つい笑っちゃったんですけど、全然決められなくて……なんか三十にもなってなにしてるんだろうなと思ったら目が覚めちゃって……」

話には飛躍がある。けれどもそもそもの正体があやふやな夢の説明をするのだから仕方のないことだ。悪夢と言うほどではなさそうだが、たぶん本人にとってはあまり良くない夢だったのだろう。しばらく話しているうちに、どことなく暗かったヨウさんの声に明るさが戻ってきた。考えすぎないほうがいいですよ、と私はアドバイスする。良い夢が見られるに越したことはないですが、まずは一晩しっかり眠れるように調整していきましょう。

短い沈黙のあと、ヨウさんはぽつりと「そうですね」と言った。奇妙に寂しさのある声だった。


本当は気が進まなかった。昨日まであんなに待ち遠しかったのに、デバイスを手にすることさえためらうほどだった。昨晩突然あらわれた慣れ親しんだ恐怖に心臓が耐えきれたのは、単なる幸運だろう。目を覚ましたあとも動悸がひどくて、明け方まで眠れなかった。でも、今日もまたデバイスをつけている。せっかく買ったし。あれだけ待ったし。私の貧乏性は骨の髄まで染み込んでいるらしい。

昨日とは一転してずっと息苦しさがある。眠りが浅いことはわかっている。ベッドの上に横たわっている自分をはっきりと感じているのに、覚醒しているとも言い難い。眠れない夜の典型的な状態だ。多分しばらくしたらカラスの鳴き声がして、窓の向こうが明るくなるだろう。朝日はちりちりとまぶたを焼く。すると私の身体は突然眠りに落ちる。あと数時間で起きなければならないと思うのに、強烈な眠気には抗えない。そのせいで寝坊したのは一度や二度ではないのに、だ。

たぶん治人の件もあるだろうと私は思った。彼からの突然の連絡が私の神経を昂らせたのだ。

治人と初めて会ったのは大学の入学ガイダンスの日だった。構内ではあちこちに新入生を勧誘するサークルが待ち構えていて、通りがかる新入生に無理やりチラシを押し付けようとする。私はうつむいて、その手から逃げていた。春は明るくのどかで、希望に満ちている。垢抜けない新入生はみんな春の日差しの下できらきらと輝いているのに、私は日陰を踏んで人目から逃れようとしていた。

今までかろうじて保っていたバランスが崩れ、暗いトンネルの中にいるような気分だった。学校は家から遠く、一限の授業に出ようと思ったらまだ薄暗いうちに家を出なければならない。必修の授業が五限に入っていたら、授業が終わり次第走って電車に飛び乗っても、家に帰る頃にはとっぷりと暗くなっているだろう。夜の中にそびえ立つ家は、不穏な空気をまとっている。家の扉を開ける前に私は逡巡する。心臓が痛い。鍵を開けた途端、また閉められたら、あるいは奥から足音がやってきて私の名前を呼んだら——朝出てくるときになにか粗相はなかっただろうか。大きな音を立ててしまったとか、昨日なにかをし忘れたとか——帰りが遅くなった言いわけも必要だ。乗り継ぎの時間は本当に最短だっただろうか、不整合はないだろうか。

そんなふうに周りに気を配る余裕のない私の視界に、治人は押し入ってきた。にゅっと私の前に体を半分乗り出して、顔色悪いけど大丈夫？　と言ったのだ。私はとっさに視線を上げて、彼の顔をうかがった。どうやって逃げ出せばいいのかわからなかった。

大丈夫？　とまた彼は言った。ミリタリーテイストのブルゾンを羽織っている以外の特徴はない。私はトートバッグの肩紐を握りしめ、大丈夫ですと言葉を引っ張り出した。きっとサークルの勧誘だ、と私は自分に言い聞かせる。手にチラシの束を持っているし、とにかくなんでもいいから声をかけて足を止めさせたと言うところだろう。彼を押しのける意気地がなかったが、私は一歩足を引き、本当に大丈夫です、ともう一度言った。声はかすれて小さかった。

眼鏡の奥でまぶたを少し落としている治人の顔は少し不機嫌そうに見えた。逆さまつげが目を隠し、なにを考えているかわからない。猫背で頬骨が浮き出るほど痩せて、顎の下にポツポツと無精髭が生えている。彼はそのままの表情で、別に取って喰いやしないから、と言った。少し休んだほうがいいと思うよ。このチラシの束を持ってたら勧誘されないから、そこのベンチに座ってな。なにか飲み物買ってきてあげるから。

それが彼との出会いだ。

まずコーヒーを用意する。

モニタの中ではまた赤いマークが点灯している。ヨウさんの睡眠はまだ良くない。初日に比べれば制御時間は長いが、レム睡眠が五時間も続いたあと、深い眠りに一時間だけ移行し、レム睡眠に戻らず覚醒している。質の良い睡眠とは言いがたい。

大磯さんからもメールが届いていた。お疲れさまです。大磯です。彼女、やっぱり良くないですね。眠りが浅い状況を改善したいので、一旦デバイスの使用をやめてもらいましょう。もしくは睡眠導入剤をお持ちのようなら、種類を確認して併用していただくという手もあります。どちらかをおすすめしてみてください。

それはそうだろうな、と私は思う。激務が終わったあとだと言っていたし、そもそも睡眠に入りにくい状態なのかもしれない。それならばまずは体を休めることに専念すべきだ。In : Dream はただの医療器具ではないから状態を良くすることはできても、治療はできない。

「昨日に比べたら……」ヨウさんの語尾はしぼんでいる。「そんなに悪い夢じゃなかったと思いますけど、目が覚めちゃって……すみません」

私は慌てて謝ることではないと告げる。調整に手間取ってしまって申しわけないこと、エンジニアにエスカレーションして最適な方法を考えてもらっていること、もしまったく眠れないようならまずは睡眠導入剤や市販の睡眠改善薬を使ってよく身体を休めてほしいことを伝える。彼女はまた少し笑って、このくらいは珍しくないんですと言う。ちょっと嫌なことがあったせいかも。でも、わかりました。とりあえずよく寝ますね。私はもうだめかな、と思う。彼女はきっとIn：Dreamを返品するだろう。バツひとつ、ユーザ取り逃がしだ。

治人は、目を丸くして、口を「あ」の形にした。チラシをどうすべきかわからずじっとしていた私は、視線だけをあげて彼を仰いだ。彼は照れたように、コーヒー飲めないからココアにしちゃったんだけど、飲めます？　と弁明しながら紙コップを私に差し出した。

どう答えれば良いのかわからなかった。うまい返しも思いつかない。なんとか作った愛想笑いはたぶん引きつっていただろう。治人がきまり悪そうに私の隣に腰を下ろしたので私はまたうつむいてチラシを手のひらで撫でた。

のちに治人は、私はもうとっくに姿を消しているだろうと思ったと白状した。だから自分が飲むものを、念のためふたつ買って戻ったのだという。けれども私はベンチに座って葛藤していた。それで驚いたらしい。

若葉芽吹く桜の木の下は肌寒く、日差しが遠のけば冬の気配がすぐそこに控えている。私はチラシの束と引き換えにココアを受け取り、ぼそぼそと礼を言った。沈黙の気まずさを埋めるように彼はサークルの説明をする。少し説明しては、ごめんね、勧誘しないって言ったのに、と詫び、それからまた話をはじめる。私たちの間を介するものは彼が手にするチラシ以外なにもなかった。私は曖昧に笑みを浮かべ、彼の表情を伺った。

彼らは夜間に山手線を一周する散歩サークルらしかった。別に大したサークルじゃないんだ、と言いわけじみた声で彼は説明している。中身なんて全然なくて、紙の地図を探して、読んで、歩く。やることはそれくらいで、ええと、いいところはバイトのあとでも参加できることと、お金がぜんぜんかからないことかな。そこで私は声を立てて笑った。

人の話を聞くのは嫌いじゃない。どういう時にどんな顔をして欲しいか、視線の動きや表情を見ているとすぐにわかる。それを的確に提示してやれば、みんな満足してもっと喋る。話して、笑って、感情を爆発させて、そして自分の話のうまさに満足する。それを引き出すことだけが私の役割であり、私の存在意義だと、当時の私は思っていたのだった。

でも彼は他の人と同じような反応を示さなかった。私が声を立てると彼はまた目を丸くして、それから急にぎゅっと眉根を寄せた。おびえている犬のような表情だった。私は慌てて視線をそらし、なにを間違えたんだろうと後悔した。

しばらく彼は口を開かなかった。

彼の指先に、忘れ雪のような桜の花びらが張り付いている。日は落ち、橙色の光が校舎の隙間に手を差し込んでいる。髪の毛を透かす光に目を細めることなく、彼は口をぎゅっと結んで私を見ていた。

私はうなだれ、罰が下るのを待った。紙コップの中に花びらが舞い落ちて、茶色の水面の上をくるくる回っても、まだ黙っていた。

沈黙。

遠くからはしゃいでいる人々の声が聞こえる。みんな自分のことを喋っている。どこから来たのか、どこに住んでいるのか、東京は怖いところだってばあちゃんに脅かされた。寮は門限が。サークルどうする？　あの授業、ガイダンスから死ぬほど眠くてあかんかったわ。ううん、お姉ちゃんと一緒に住んでるんだ。このあとどうする？　ご飯行く？　たくさんの人生が一箇所に集まっている。本当は口にできないこともあるかもしれない。けれどもみんな笑って、それらしいふうを装っている。

「もし、うちに、興味があったら……」

治人の声はかすれている。私は彼の言葉が終わるのを待った。興味。興味とはなんだっただろうか。

そんなものは私に必要ないんじゃないか。遊ぶことなんて許されるわけがない。高校の時の友達は、葉ちゃんの家って結構厳しいよね、と言っていた。高校生は子供じゃないんだからさ、ちょっと寄り道するくらいいいじゃんね。優しい声が耳に蘇り、私は少し勇気を取り戻す。そうだった、と思う。外の人たちはいつもみんな優しかった。だから私はなんとか人間をやっている。私はみんなに報いなければならなかった。そのために勇気を振り絞らなければならなかった。

息を吸って顔を上げると、私を見つめている治人と目が合った。彼は心なしか顔色が悪いように思えた。黒瞳はせわしなく動き、表情を読んでいる。どこからか飛んできた淡い色の花びらがひらひらと視界を横切って消えていくまで、私たちはお互いに視線をそらさなかった。彼の視線の動きは見覚えがあり、だから余計にどうすれば良いかわからなかった。


コーヒーに手が伸びない。

私、やっぱりいい夢が見たいんです、とヨウさんは言った。

まだ彼女がIn：Dreamに期待を寄せている事実に安堵する一方、頭が痛いとも思う。

一週間が過ぎたのに、彼女はまだ夢を見ていない。私がデイシフトの間は調整剤を飲まずに寝てもらったが、それでもだめだったようだ。

彼女の名前を見ると、胃がしくしくする。大磯さんも首をかしげているが、人体相手のデバッグは計算機のようにはいかないものだ。しかも手がかりがないときている。調整剤を上限（マックス）まで試してうまくいかなかったらお詫びして返金するしかないですかね、と彼は情けなさそうに眉を八の字にしてぼやいた。これ、軽い不眠症ってレベルじゃないですよねぇ。医療用のじゃないとだめなのかも。

私達の苦悩をよそに、ヨウさんは楽天的だ。実はこれに似た方法の治療を母が受けてうまくいったんです。なんでしたっけ、なんとか活性法？　でもあれって結構副作用がきついじゃないですか。自動インジケータを使うってなると手術しなくちゃいけないし、目立つから、働いている人にはつらいですよね。親子だと体質が似てるから、私くらいならIn : Dreamで改善するんじゃないかなって思ったんですけど。

大磯さんはわしゃわしゃと白髪交じりの髪の毛をいじった。まいったなぁ、と顔にかいてある。大きなお腹をしている彼が机にもたれかかっていると、本人が自称するとおり大きなクマのぬいぐるみだ。そっかぁ、と心底困ったように大磯さんは言って、ぽちゃぽちゃした手をさすった。

「うーん……できるところまで試してみたら、僕が対応しましょうか。もっと詳しい説明をしたら理解してくれるかもしれないし……」

こういうことは時々ある。女性の窓口担当者は詳細を理解せずマニュアルを読んでいるだけだと思っている人は老若男女問わず存在する。男性の、できればある程度年配で、かと言って年を取りすぎていない声が同じ説明を少し早口ですると、すっと納得するのだ。いちいち気にして神経をすり減らす必要はないと大磯さんは言う。僕だったらもっと怒られてますよ、わざと難しいこと言うんじゃないとか。要は違う人に代わってほしいってだけなんじゃないかなあ。うちのデバイスと同じで誰にでもぴったり来るやり方ってのはないんです。どうしようもないことだから、気にしなくていいです。担当を交換しましょ。

大磯さんが正しいことはわかるが、なにか釈然としない。

「普通はもっと早い段階で諦めてくれるんだけどなぁ……よっぽどお母さんの副作用が強くて困ったんですかねぇ」

「これって副作用あるんですか？」

「うちのは副作用出るほど強くないから心配ないですよ。医療用のだって睡眠制御では前例ないと思うんだけど」

大磯さんはまたわしゃわしゃと頭を掻いて、まいったなぁと何度目かになるため息をついた。ぶっちゃけ僕たちにはどうしようもないんですよ。ここまでくると病院に行ってもらわないと。たぶん——

そこまで言うと大磯さんは黙り込んでしまう。ご本人に問題があるんだと思いますとは、やはり言いにくいようだ。

3

夜になると声が聞こえる。両親の部屋からずっと母の声がする。なにかについて父に話している。いや、話しているのではない、詰(なじ)っているのだ。

実家にいた頃は、週に何度かそんなことがあった。声は夜通し続き、時々大きくなったり小さくなったりする。丑三つ時に静かになることもあれば、明け方からはじまることもある。時々声は足音を伴って廊下を歩き、バタンと音を立てて子供部屋に押し入る。私はぎゅっと目をつぶり、夢でありますようにと祈るが、その思いも虚しく闇の中に引きずり出される。そうなったら最後、その夜は眠れない。そんな生活が続くうちに、私は眠れなくなった。声がするだけで目が覚める。大きな音がすると筋肉が縮こまり、心臓が細かく拍を刻む。

夜はおそろしい。外が明るくなり、学校に行く時間が来るまでの時間は私のものではない。意識が朦朧(もうろう)とすると容赦なく手や棒や本が飛んできて、ますます事態は悪くなる。私は頭を少し垂れ、集中力を切らさないように手の甲に爪を突き立ててじっと耐えた。それが私にとっての夜だった。だから東京で確保したボロアパートに週三で泊まるようになったとき、闇から人の声が聞こえないことに驚いた。天井には丸いシーリングライトのカサがぼんやりと浮かび上がり、壁際のカラーボックスの上では小さな炊飯器が赤いランプを点灯させている。大通りを車が通るたびに家中ががたがたと揺れ、窓のすぐ向こうにある街灯の光がカーテンをふくらませている。

けれども、世界は静かだった。

眠っている人々は声を発しない。呼吸の音は高くなったり低くなったりなどせず、沈黙の一要素になっている。私は天井を仰いだまま静寂の豊かさに浸った。誰も、誰かの眠りを妨げない。そんな世界の優しさを思った。私の知らない夜が、穏やかで人を包み込む夜が、そこにはあった。すっかり朝になるまで私は耳を澄ましつづけ、そして窓が明け方の色に染まるのを見届けてから、さめざめと泣いた。

In : Dreamを購入して三週間が経ったが、いまだ私のもとには夢が来ない。もしかすると私は夢というものを理解していないのではないかとさえ思う。だから夢を見ようと努力するほど、現実や過去を思い出して目が覚めてしまうのではないか？　日に日にサポートの女性の声は重くなり、詫びの声には諦観が濃くなる。そんな彼女に申しわけなくて、どうにか良い夢を見れないかと私は焦っていた。

焦っているのに、夢を見るのが怖い。起きたあとは辛くて泣いてしまう。

　どうしたの、と彼は言った。また笑ったでしょ。その癖、まだ抜けないんだね。

　こんなの絶対におかしいと憤っていた若い頃の治人の声が耳に蘇って、私はまた笑った。今、聞こえているのはもっと穏やかな声だ。言い回しも柔らかい。でも私の中に蘇る彼の声は変わらない。けれども私はそれを告げず、昔と声が変わらないから懐かしいなと思って、と弁解した。

　見覚えのない電話番号がスマートフォンに表示されたのは、ちょうど家の鍵を開けたときだった。カバンの中から振動音が聞こえ、焦って出たのですぐには治人だとわからなかった。だから声に思い当たったとき、私は笑った。どうして番号知ってるの。確かにあれから変えてないけど。そしてまたケラケラと笑ってしまった。

　手短に近況を交換する。彼も私も会社員で、ある程度忙しく、ある程度は余暇がある。ふたりとも東京に住んでいて、まあまあな生活だ。平均的な東京の会社員。同じような愚痴があって、同じような達成感があり、しかし片方は独身で、もう片方は結婚を控えている。おめでとうと私は言う。良かったね。あのせいで恋愛恐怖症とかになってたらどうしようかと思った。責任感じちゃう。

　ふ、と電話の向こうが静かになる。私はその間にベッドサイドを確認し、In : Dream のデバイスが点滅しているのを発見する。またメッセージが入(はい)っている。このところ毎日返品を勧められる。彼らが私を厄介に思っているのがわかる。なのに、毎日メッセージを確認してしまう。

「ごめん」

電話の向こうが急に深刻になった。私は視線を上げ、さすがに冗談にしてはどぎつかったかなと反省した。

「俺は」短く治人は息を吸った。言いにくいことを言う時に息を吸うのは彼の癖だ。怒ったように顔をしかめ、ぎゅっと両手を握る。俺は、と彼はまた言った。葉ちゃんのせいだと思ったことないから。

「そんなことよりさぁ、彼女にはちゃんと話してる?」

音を立てないように膝をつく。毛足の長いカーペットを空いている方の手で撫でて私は正座になった。しかし思い立ってすぐに崩した。言葉は姿勢に影響される。正座すると私は卑屈になる。卑屈になると治人はきっと心配して、これからもずっと私のことを気にかけるだろう。私は元気に生きていることを示さなければならない。過去は忘れていいと、彼に思ってもらわなければならなかった。

「うちは離婚したから、親父とはずっと会ってないよ。彼女には全部話してるし、理解してくれてると思う——」

「ならいいけど、テンパると口調きつくなるんだから気をつけなよぉ」

「時々言われる」彼の声がすこし笑った。でもなんだか泣いているようにも聞こえた。

葉ちゃんのほうは、と彼は続ける。どうなの？　近況は弁護士さんにちょっと教えてもらったけど。

治人の声は遠慮がちだ。多分彼だって、そんな声を出せば私が気を使うとわかっているはずだ。でも気持ちを隠せない。あのときも彼はそうだった。見たことのない表情で私を見つめ、唇を震わせていただけだった。それまでずっと私の庇護者のようにふるまっていた彼と私の立場は、もしかしたらあのときに逆転したのかもしれなかった。

「んーとね、示談の条件で治療しろってことになったじゃん？　いろいろ試したんだけど、興奮したら自動で落ち着くお薬入れるやつがうまくいって、普通の人みたいになったよ」

喉の奥で声が引っかかる。そうなんだ、と言う治人の相槌を押しのけて私は言葉を続けた。

「ほんとに普通の人みたい。夜は寝るし、急に怒らなくなったし、完全に普通のお母さんだね」

声が引っかかる。なぜだろうと私は思う。喉の奥が熱い。

「こないだもさ、急にりんご送ってきてさ、なにかと思ったら、お父さんとふたりじゃ全然減らないから送ったってメールしてくんの。あんたりんご好きだったでしょって。あとカイロとかお金とかも入ってて、帰ってこなくてもいいけど、たまにはいいもの食べなさいよってさ」

いいお母さんみたい、と私の口が勝手に動く。いいお母さんみたい。確かに時々そんなことを思う。

ほんとうは幸せな家庭で育ってきたんじゃないかと錯覚する。眠れない夜は私の記憶間違いだったんじゃないかとさえ思う。認知が歪んでいるのは私のほうなんじゃないか。そしてぞっとする。

「なんかこういうの、親がするって聞いたことあるからさ、テンション上がっちゃって」

違う、と私は目をつぶったまま思う。テンションなんか上がらなかった。荷物が届いたときは悲鳴をあげて放り出してしまったし、りんごはまだ台所に放置している。さわれない。怖くてさわれない。だいたいりんごなんか好きじゃない。りんごが好きなのは私の姉だ。私じゃない。りんごケーキを作るって張り切って焦がしたのは姉だ。私じゃない。小さい頃にリンゴのすりおろしを喜んで食べたエピソードだって私のものじゃなかった。お姉ちゃんはそうだったのに、あんたは人のものばっかり欲しがって卑しい。そう言って母は私の頬を叩いたはずだ。なのにいつの間にか母の中で私はりんごばかり食べていた子になっている。プリンとかゼリーじゃなくていいの？　って聞いたらりんごがいいって言って。風邪をひいたときはいつもりんごのすりおろしだったよね。違う、それは姉の話だ。どうしてあんたはお姉ちゃんみたいに我慢できないのと何度も繰り返し叱られたから覚えている。

でも母は全部忘れてしまった。

「普通のお母さんってこんなんなんだね」

あの人は普通じゃない。薬が切れたら普通ではなくなる、と私が言っている。ずっと恐怖がある。治療のせいで記憶は混乱しているし、そのうえ十年前、治療のきっかけとなった事件はさっぱり忘れて、昔からずっといい母親だったつもりでいる。しかも私は時々、今のお母さんは優しいと思う。もしかしたら子供時代の私は幸せだったんじゃないかと思ったりする。おかしいのは私のほうで、幻に恐怖を抱いていたんじゃないかと――

「あなたのお父さんには感謝してるんだよ、だって」

「葉ちゃん」

「あの頃の、私達ってさ、子供だったよね。だって今の新卒の子たちより若かったんでしょ？　私なんて未成年だったし、完全に子供じゃん。よく示談にしてくれたと思うもん。それにさ――」

「葉ちゃん、ちゃんと聞こえてるよ」

今度こそ喉に言葉が引っかかって前にも後ろにも進まなくなった。私は腹に力を入れ、息を吸った。こめかみのあたりを中心として世界がゆっくりと回っている感覚がある。

治人の声はまたかすれている。あの時と同じようにかすれている。あのときも彼は私をじっと見つめ、葉ちゃん、と言った。でもそれ以上言葉は出なかった。目のふちに涙が盛り上がり、くちびるがひび割れて白くなっていた。ただでなくても痩せ気味な体はますます薄くなり、威圧的な父親の隣にいる彼はポキンと乾いた音を立てて砂に還ってしまいそうだった。でも私はその目をぼんやりと見返すことしかできなかった。

あれから十年だ。私達は十年ぶん成長した。だからあのときのようになにも言えないまま終わったりはしなかった。沈黙のあと、治人は静かに、ごめん、と言った。なにもできなくてごめん。葉ちゃんにはちゃんと幸せになってほしい。俺はなにもできなかったけど、傷はもうほとんどわからないから、だから、忘れてほしい。ちゃんと幸せになってほしい。

話すことがすっかりなくなって挨拶を済ませても、私達はなかなか電話を切らなかった。お互いに黙り込んで少なくとも一分はすぎてから、ぷつりと電話は切れた。私は目を閉じ、私の神様にさようならと言った。

出会いから私と治人が付き合いはじめるまではほぼ半年だった。早いとも遅いとも言えないタイミングだ。でも私はちっとも驚かなかった。治人が柄にもなく緊張した面持ちで付き合わないかと言ったときでさえ、私はすこしも戸惑わなかった。あの日、目が合ったときから、いずれもっと深い仲になることを直感的に理解していたせいかもしれなかった。

今でもまだ娯楽を忌避する癖のある私だが、不思議なことに治人との距離を詰めるにはなんの抵抗もなかった。破綻した生活の反動だったのかもしれない。

あの頃をどうやって生き延びたのか今もまだわからない。昔から突然怒り出すことがよくあった母は、更年期にさしかかった影響か、全く予想できないポイントでカッとすることが増えた。

高校生の頃までは私にもわかりやすい過失があった。片付けをきちんとしなかった。靴下が裏返しのままだった。忘れ物をした。お弁当箱を帰って来てすぐ洗わなかった。皿を割った。石鹸に泡がついたままだった。私は一日にいくつも過失を犯す。未熟なのだからガミガミ言われるのは仕方がない。たまに叩かれたり、ヒートアップして徹夜で小言を聞くことになっても、私が悪いのだから仕方がない。なにが悪かったのかわかるし、謝ることもできる。まともな大人にならないと言われると、そうかもしれないと素直に思った。けれども時々理解できないこともあった。友達と遊びに行った休日の夜は機嫌が悪いとか、部活で遅くなって帰ると家を閉め出されるとか、修学旅行のお土産が多すぎても少なくても寝ずの説教が待っているとか、思い返せば楽しい記憶には憂鬱な記憶が必ずセットでついて回る。かと言って母と一緒に出かけてもなにかしら機嫌を損ねてしまうことが多く、いまわしい記憶がついて回る。

大学に入ってからはさらに理不尽な叱責が増えた。テレビをつけてもいないのに、いつまでテレビを見ているのかと怒鳴る。風呂掃除まで終わっているのに、いつになったら風呂に入るのかと暴れる。夕食後の皿洗いを私がしていると、嫌味かと皿を叩き割る。これ見よがしに勉強していて腹が立つと教科書を捨てる。言動にはまったく予想がつかず、機嫌がいいと思ったら急転直下で爆発することが増えた。しかも一度スイッチが入ると嵐が過ぎ去るのを待つしかない。事実を言えばヒートアップする。やみくもに謝るとなにが悪かったのか言えと迫られ、口ごもるしかなくなる。そうしてあきらかな非がうまれたら、母のシナリオどおりにすべてが進む。私はひたすら黙る。うなだれてあらゆるものを甘受する。尊厳や意思は必要ない。ただ過ぎ去るのを待つしかない。

おかしいよ、と治人は言った。ふつうじゃない。私は気持ちを紛らわすために少し反論する。やめてよ、まともじゃないなんて言ったらまた怒り狂うよ、あの人。

「俺はふつうじゃないって言ったんだよ、まともじゃないなんて言ってない」

思いのほか強い口調で治人は言う。私は反射的に黙り込み、なにも返せなくなってしまう。私が黙り込むと治人は慌ててごめん、と言う。ごめん、つい。彼の顔は青白く、怯えている。

私達はあまりにも不健全だった。そのことに目をそらしつづけ、一年が経った。夏が来ようとしていた。

一年生の後期も残すところあとわずかという頃から、実家に帰る頻度より東京に泊まる頻度のほうが上回るようになった。試験の準備で、実験で、アルバイトの終わり時間が、という言いわけで帰る時間を次第に遅め、心配する父にボロアパートの一室を借りてもらったからであった。姉が東京に住みたがっていたのもよい口実になった。

こうなるまで、ほぼ一年の血のにじむような努力があった。確かに母はアルバイトをしろとうるさく言った。いい大人が親のすねをかじっているなんて恥ずかしくないのか。確かにそのとおりだ。しかし私がアルバイトをはじめると母は激怒した。帰る時間が遅い、アルバイトなんて嘘をついて、本当は遊んでいるんだろう、証拠のために家にお金を入れろ。怪しい仕事をしてるんじゃないか、世間知らずの学生に、こんなになんにもできない子に誰が給料なんか払うの、ちょっと稼いだからっていい気になるんじゃない。外面ばっかり良くなって。そのうち全部バレるよ、あんたが怠け者だって。どんなに取り繕ったって外から見てたらわかるんだから、謙虚になりなさい。母の言い分は一から百まで支離滅裂だったが、本人だけがその事に気づいていないようだった。

這うように四月は通り過ぎ、五月が来て、六月になった。家に帰る頻度が下がるかわりに、私は頻繁に携帯電話を埋め尽くす母からの数百件の着信におびやかされるようになっていた。着信のランプが点滅しているのを見るだけで心臓が縮み上がり、今すぐ帰ったほうがいいと体の中から声がする。小さな爆発はまだいい。数時間怒鳴って母の気が済むのなら、私は耐える。耐えられる。でもその不満がたまり溜まって大きな爆発になったら、止められないのではないか？　母は私を殺すかもしれない。実家にいたときは何度か命の危険を感じた。中華鍋で頭を殴られたとき、真冬に上着もなく裸足で外に放り出されたとき、馬乗りになって首を絞められたとき、買ったばかりの靴がぼろぼろになるまで殴られたとき、もうだめかなと思った。それ以上の爆発があることが怖くて、母から連絡が来ると私は授業を放り出し、アルバイトも休んで実家に戻る。大きな爆発になる前に自分から失敗して小さな爆発を誘発する。小さな爆発を前にすると私は安心した。平穏が続くと怖くなった。嵐が通り過ぎて東京へ戻ると、私はきまって治人の肩甲骨に額を押し付け、うとうととまどろんだ。

白いレースのカーテンが床に波線を作っている。午後の光はレースに手足を絡めて眠っている。まだクーラーは必要ない季節だ。昨日の雨がベランダに水たまりを作り、そこに空が映っている。

「言うこと聞くからつけ上がるんだよ。あっちが謝ってくるまで無視すればいいのに、どうして帰っちゃうかな」

治人はまた腹を立てている。母に対して腹を立てている。私はなにも言えなくなってしまう。誰かが怒っている声は、全て自分を責めている気がする。罰を与えられるまで、私に口をきく権利はない。その習慣がすっかり身に染み付いている。

「葉ちゃん、聞いてる？」

「…………」

「別に怒ってるわけじゃなくてさ、おかしいでしょ、こんなの」

私は膝を抱えてじっとしている。私の隣で治人は私の携帯電話を見ている。青い顔をしている私の手から端末を奪って、彼は次々に送られてくるメッセージを読んでいる。あんた、誰かに洗脳されてんじゃないの。絶対におかしい。すぐに帰って来なさい。今日、大家さんのところに話をつけに行くからアパートで待ってなさい。

これは別に初めての事態ではない。母が来る前に私が実家に戻れば週明けには束の間の平和がやってくる。たった二十四時間か三十時間か耐えればいいだけだ。前回は耳を強く引っ張られて頬の薄皮が破れたから、今回は多分見えないところの傷になるだろう。誰にだって傷のひとつやふたつはある。大したことじゃない。

でも治人は行かなくていいという。失踪すればいい。ふたりで住める家を探そう。保証人はうちのおじいちゃんに頼めるから大丈夫。今帰ったら本当にまずいことになる。

でも、と私はぼそぼそと言った。

「おじいちゃん、年金生活でしょ……」

「頼ればいいだろ、お金なんてふたりともアルバイトしてんだからどうにかなるよ。これ、怖いなんて言ってる場合じゃないし、本当に逃げないとまずいよ」

でも、と私はもう一度口にした。しかしそれ以上は言葉を続けられなかった。大きなため息をついた治人の存在がむくむくと大きくなって、こぶしを振り上げている錯覚をする。

「でもじゃないでしょ」

「…………」

「どうして逃げないの」

「……別に」

「別にじゃない」

「…………」

治人がまた音を立ててため息をつく。やめて、という言葉が唇の端に引っかかってつっかえる。私は手の甲に爪をたて、沈黙に耐える。手の甲には無数の小さな痕がある。爪を立てた跡が痣になって残っている。シャツで隠れた腕と肩には大きな痣がある。赤かったり、黒かったり黄色かったり青かったりする。カラフルでしょと私が冗談でいうと、治人はぎゅっと顔をしかめ、無言で私に服を着せた。

そして私の携帯電話を取り上げ、母からのメールを見たというわけだ。彼が見ている間にも着信が何度かあり、メールが数件入(はい)っている。私はそわそわする。帰らなければ。なにか失敗(成果)を持ち帰って母の気をそらさなければ、私は未来を永遠に失うかもしれない。

大学をやめさせられたらどうしよう、やっと手に入れたボロアパートの一室がなくなったらどうしよう。母はそのすべてを捨てる人だ。躊躇なく、私のためだと捨てる。あんたはなにもできないんだから、お母さんの言うことを聞いてればいいの。自分でできるなんて思い上がって。

「葉ちゃん」

「…………」

「葉ちゃんが頑張らなきゃはじまらないんだよ」

「そんなの」

思わず声を発してから、私はしまったと思った。私はいつもそうだ。なにも考えずに言葉を発して、そのせいで墓穴を掘る。いつも後悔するのに、いつも間違える。今のは絶対に間違いだった。私はまた爪を手の甲に押し付ける。

「なに？　そんなの、なに？　言いたいことがあるならちゃんと言わなきゃ。葉ちゃんが黙っちゃったらなんにもわからない――」

「そんな、に、どんどん言われたって」

「俺はそんなのの続きを聞いてるんだけど」

「わかってるよ」

ずきん、とこめかみに痛みが差し込まれて私は顔をしかめた。薄暗かった室内が急に明るくなり、心臓が音を立てて鳴っている。震える指を隠すために私は両手を握った。今のも間違いだった。絶対に間違いだ。

治人はどんな顔をするのだろうと私は手を握ったまま思った。彼の両手はまだ視界の中にある。私の携帯電話を握り、じっとしている。人差し指の爪の際にさかむけができている。痣のない骨ばった手だ。どうする、と私は思う。彼はどうする？　怒って携帯電話を壁に投げつける？　壊す？　それとも放り出して――

「ごめん」

勝手に口が謝っている。でも違う、と私は思った。こんなのは健全じゃない。治人の言うことのほうが正しいはずだ。母はおかしい。どんどん変になっている。言ってることもおかしいし、ありもしないことをでっち上げている。言葉を曲解して、それを理由に怒鳴って、怒鳴っていることに興奮してさらに怒る。けれども、同時に私は治人が間違っているとも思う。私は家に帰らなければならない。そうすれば全部丸くおさまる。一時的な嵐は頭をさげて耐え忍べばいい。いつか、多分、きっと、時々は、母だってまともになるはずだ。だからその時まで頑張れば――

私は顔をあげ、そっと治人の顔を伺う。

治人はくちびるを噛んで目尻を吊り上げていた。俺、と彼は息を吸った。葉ちゃんと一緒に行く。やめないと通報するって言う。こんなの。絶対におかしい。

こうして彼は私をかばい、激昂した母に刺されたのだった。

4

コーヒーは淹れ直そう、と私は思った。すっかりさめてしまったし、それに休憩がほしい。このまま仕事を続けてもユーザに迷惑をかけるだけだ。

でも、動けなかった。頭が締め付けられるように痛むし、背中もこわばっている。

こめかみをもんでヘッドセットを外す。離席にチェックを入れ、私は椅子にもたれかかった。白い作業デスクの上のメモ用紙には、悶え苦しむ蛇のようなボールペンの線だけがある。たった五分の通話だったのに、今日の残りの仕事はできる気がしない。

また、だ。

いや、「まだ」と言ったほうがいいのだろうか。

ヨウさんはまだ夢を見ていない。だと言うのに諦めずに連絡がある。次はどうしましょうか。なんだか実験みたいですね。そのパターンはもうやりましたよ。あとなにがあります？　最近区のジムに行ってるんで、ちょっと変わるんじゃないかなって。だとしたら——

大磯さんの声が思い出される。そりゃ相手はユーザさんですからね、だめです、あなたのサポートはできませんなんて言えないですけど。どうしたらわかってもらえますかねぇ。別にクレーマーでもないし悪い人でもないんでしょうけど、だから困るんですよね。しかも追加で調整剤買っちゃったみたいだし。ま、でもあと一週間で無料サポート期間が終わるんで、間宮さんが取らなくて済むように協力しますよ。うまくいってないのにサポート延長はしないでしょう、たぶん。

ありがたいと顔を覆って私は思った。ヨウさんと話したのは一週間ぶりだったが、もし毎日だったらとっくに体に変調をきたしていたに違いない。彼女は変わらず穏やかで、攻撃的な素振りは少しもない。ずっと前向きで——そこが理解不能なのだ。不気味で怖い。話していてもどこかに地雷があるのではないかとビクビクしてしまう。ついさっきも彼女は言っていた。一ヶ月経ってもうまくいかないってこと、あんまりないって前に言ってましたよね。つまり私は変ってことですか？　異常ってことですよね。私、そういうことをずっと言ってるんですけど。

口調が柔らかいのでその場では流してしまうのだが、あとで思い出すとかなり表現がきつい。しかも誘導尋問的だ。だから通話を終えたあとはどっと疲れ、興奮状態になってしまう。なまくらの剣でひたすら殴打されているような気分だ。

怖い。彼女からの連絡が怖い。

あと一週間だ、と私は自分に言い聞かせ、私はまたこめかみをもんだ。立ち上がるにはもう少し時間がかかりそうだ。

知らない老婆が私の背中をさすっている。鼻の奥に染み込む不快な体臭を放つ老婆は、かわいそうに、かわいそうにねぇ、と繰り返している。手が血だらけだよ、かわいそうに。あんたも怪我したの? あたしはね、膝が痛くてねぇ。でもここの先生、全然聞いてくれないの。ああ、かわいそうにねぇ。泣いちゃって、かわいそうだよ。

まただ、と思う。

いや、「まだ」と言ったほうがいいのかもしれない。

私はまだ、あの夜の中にいる。夢の中の病院に腰を下ろしている。ロビーは電気が落とされ、いくつかのスポット照明がライトピンクの待合椅子の上で散乱している。リノリウムの床に反射するのは非常口の緑色のランプだけで、ベンチに座っているのは私と、知らない老婆だけだった。足をひねっちゃったのよ、と老婆はいつの間にか自分の話をしている。でも真っすぐ伸ばしてたらそんなに痛くないの。先生はそれくらい我慢しなさいって、ひどいのよ。ああ、かわいそうに、痛かったら横になればいいんだからね。

母が刃物を出したのは脅しでしかなかった。人を殺すような度胸はない。それが幸いしたのか、私をかばって刺された治人の傷もそれほど深くなく、臓器は傷がついていないらしかった。テレビドラマのようにVネックのユニフォームを身に着け、白衣を羽織った中年の医者がそんなふうに言った。ご家族の方ですか？　念のため今晩は入院してもらいますけど、明日には退院できますよ。不幸中の幸いでしたね。警察にはどう——弁護士を通してください。

はっとして私は顔を上げた。いつの間にか医者の顔が変わっている。シルバーグレーの髪の毛をオールバックにした初老の男性が私を見下ろしている。目がいやにぎらぎらして、薄いくちびるが斜めになっていた。厚ぼったいまぶたから生える逆さまつげと、少し突き出た頬骨の様子が治人に酷似していなければ、きっと誰なのか見当もつかなかったはずだ。

彼は無機質な口調で私に告げる。息子に近づかないでいただきたい。彼の後ろで治人はくちびるを噛んで、黙している。

手が。

手が、私を拒絶する。私をはじき出し、外へ追いやろうとする。中山だか中口だか知らないけど追い出してやった、ろくでもないやつだな、挨拶もまともにできないくせに示談は立派に求めてきやがって。

手のひらに冷たい病室の扉が触れている。私は呼吸をしている。吸って、吐いて、吸って、吐いて、その間隔はどんどん短くなる。ほんとうにまともなやつじゃない、ブスでぬぼっとしてて、あんなのどこがよかったんだ？　そう言って嘲笑する声がある。よっぽど好きものなのかね、と男が言ったとき、ようやく治人は震える声で葉ちゃんは、と言った。でもその後の言葉は出てこない。大人の声が言う。中口だろ。誰だよ、それ。葉ちゃんは、とまた治人が言う。苦しそうだ。私までぎゅっとつかまれたようにみぞおちのあたりが痛くなった。壁を一枚隔て、私はその声に耳をそばだてている。彼らの声はどんどん遠ざかる。治人の声はもうほとんど聞こえない。

彼はあまり語りたがらなかったが、父親が強い家庭に育ったということは白状した。暴力はなかったけど、口が悪くて気分屋で、母親になにかと文句をつけて、俺にも言わせるんだ。もっと言え、もっと悪いところがあるだろって。できてないこと見つけて報告したら褒められるから——言いにくそうに視線をそらして、彼はそれ以上語らなかった。

想像はできる。私の母もよく家族の中に標的を作った。標的に指定されるのはたいてい私か父だった。標的は他の家族からも批判される。良くないところを母の前で本人に向かって言わねばならない。口ごもったら平手打ちが一発。黙ってしまったらもう一発。心がこもってないとさらに一発。そういうときはこんな家族でお母さんはかわいそうと間髪置かずに言うのが一番賢いやり方だ。でもいつも同じセリフでは見透かされる。父は私よりずっと賢い。もっともらしい顔をしてみんなの話を聞き、だめじゃないかと言うのが得意だった。悪い子にはお仕置きだな。そして私を叩く。

ずるい、と子供の私は思った。お父さんはずるい。大人だから、お父さんだから、だからなにも言わなくていいんだ。叩かれないんだ。ずるい。いつもお母さんに怒られてるくせに、自分の番じゃないときは一番偉いみたいな顔して、ずるい。お父さんはずるい。お姉ちゃんはずるい。お姉ちゃんだからって何でも許されて、ずるい。治人だってそうだ。ずるい。勝手についてきて、勝手に刺されて、私のことを守ってくれなかったくせに、幸せになってほしいなんて。いまさらそんなの。ずるいよ。

でも、一番ずるいのはお母さんだ。

またあの老婆が私の背中を撫でている。かわいそうにねぇ、かわいそうに。こんなに泣いちゃって。誰か来てあげればいいのに、ああ、かわいそうに。

苦しい。息が詰まって苦しい。首を絞められているときと同じだ。世界が遠のいて、やけに光が眩しくて、写真の背景にあるみたいに丸い光の玉が浮かんでいる。もうダメかもしれないと私は思う。私の頭は仕方がないと言う。ダメかもしれない、受け入れるしかない、じっとしていたほうが生きている確率は高いだろう。けれども私の身体は違う。瞳孔は開き、あらゆる光を受容する。首に食い込むものに爪を立て、私は歯を食いしばる。死にたくない。このままでは死んでしまう。生きるための方策を見つけようと身体は抗う。身体が私を突き動かす。

体の中を息が通っている。私は息を切らしている。腕を振り上げ、体に引き寄せると硬い感触がある。肘までじんじんとしびれる反発がある。私は息を切らせ、また腕を振り下ろす。叫び声を上げ、半狂乱になって何度も、何度もこぶしを打ち据える。生き延びる術はそれ以外にないと身体は知っている。私のこぶしの下でうずくまる影が助けを求めている。やめて、もうやめて、俺が悪かったから、もうなにも言わないから、それじゃあいつと同じだよ。やめて、葉ちゃん――

私は怒鳴った。お母さんのこと、あいつなんて言わないで！　気に入らない人のことをそういうふうに呼ばせるの、あなたのお父さんがやったことでしょう！

ガツン！　と夢にヒビが入(はい)る。それでもまた、私は腕を振り上げる。

缶コーヒーのプルタブを押し上げ、うちのはね、と大磯さんは言った。いつも通りの落ち着いた声だ。さっきまでは、こんなことはありえない、覚醒してるんじゃないですか？　本当に眠ってるのかな、と早口で言っていたが、頭が冷えたらしい。

レム中って基本的に副交感神経しか制御してないんです。交感神経の方に働きかけるのはノンレムからレムにスイッチするときと覚醒のときだけなんです。つまり少なくとも一度ノンレム睡眠に入（はい）って、心拍数と呼吸数がすごく減っている時なんですね。

そう言って彼はとあるユーザのグラフを見せる。この心拍のグラフを見てください、と彼は言った。角（つの）が二つでてるでしょう。この二つの角はそれぞれ心房と心室の収縮です。二つで必ずセットになっていて、どちらも終わらなければ強度（インテンシティ）が下がらない。レム睡眠中もノンレム睡眠中も同じです。

深い眠りに入っている時は心拍数が下がるから、ノンレム中は間隔が広いんですよね、と私は確認する。大磯さんは深くうなずきながら、グラフを左右にスクロールした。

たとえばここは副交感神経の制御をしているところです。あっという間に心拍数が落ちて、呼吸もゆっくりになっている。一時間半後を見ると、今度はノンレムからレムにスイッチさせるんですけど、逆の場合に比べてすごくゆっくりでしょう。こうやって制御すると、覚醒状態にオーバーシュートする確率がとても低くなる。一応制御エンジンチームのほうに確認しないとわかんないですけど、調整剤をマックスまで使ってもこんなふうにはなるかどうか。もしかしてマックス以上飲んでるのかもしれませんね。

「毎日調整剤を飲んでるせいってことはないですよね……？」

「ないはず、ですけど規定量を飲んでるにもかかわらずこうなったということなら、他の人にも影響が出るかもしれないので、すぐに対策を考えないと。でもそうだったとしても、そうじゃなかったとしてもとにかく間宮さんのせいではまったくないので、気に病まないでください」

私は気をもむ。ヨウさんのことをおそろしく感じられるのは確かだ。でも同時に私は彼女にいい夢を見てほしいとも思っていた。厄介なユーザがおとなしくなるにはそれが一番だ、という意味ではない。いや、いっそいい夢でなくてもいい、彼女にこれ以上苦しまないでほしい。不思議と私はそんなふうに思うようになっている。

いい夢を見るより良い睡眠を目指しましょうと私が言ったときの沈黙が、奇妙に寂しそうな同意の声が今も思い出される。どうして、と私は思う。どうして彼女は眠れないんだろう。本人はその理由をわかっているフシがある。けれども私に話してはくれない。ひとりで抱えて、だれにも苦しみの一端を分け与えないでいる。だからこんな歪んだ形でそれが表出しているのではないか。私はヨウさんの声しか知らない。整形されたデータ上での睡眠リズムしか知らない。けれども、たったそれだけでも、彼女が大きな問題を抱えていることはわかる。

大磯さん、と私は言った。あんまり彼女を責めないでくださいね。本人だって不可抗力でしょうから。大磯さんは笑って、僕がそんなことすると思います？　とお腹をたたいた。In : Dream のテディベアを信じてください。大丈夫ですよ。


疲れている気がして昼下がりにベッドに潜り込んだのが最大の悪手だったのかもしれない。飛び起きると喉がカラカラだった。Ｔシャツは汗でじっとりと湿り、手のひらで顔を撫でると毛穴から浮き上がった脂がぼろぼろと剥がれ落ちる。ああ、と私は習慣的に耳に手をやって思った。熱が出てる。だから悪夢を見たんだ。

ベッドから出て床に足をつけるとがくんと膝の力が抜けて床に座り込んでしまった。頭痛はなく、体の怠さもない。むしろどこかに飛んで行ってしまいそうなくらい体が軽い。カーペットの上に沈み込んだ自分の両手をまじまじと観察する。血はもちろんついておらず、痣もない。少し肉がついてむくみ、キメはあらい。二十歳から十年分年をとった手だ。皺が多いのは昔からだが、三十になって急に肌のハリがなくなった。私は泣くことしかできなかった少女ではなく、それなりの成功体験（成果）を積み上げた大人になっている。

　冷蔵庫まで這って行って、飲み残していた炭酸水を口にすると少し夢が遠のいたようだ。良かった、と私は冷蔵庫の扉に額を押し付けて息を吐いた。まだ動悸はおさまらない。体の中を冷たい水が通っている。

　Tシャツを脱ぎ捨て、干しっぱなしの洗濯物を引っ張って新しいものに着替える。脱いだTシャツを洗濯機に放り込みに行くついでに洗面所で顔を洗う。鏡の中の私は真っ白な顔をしている。むくんだ顔の上には昔できた傷が点々とシミになって浮いており、目がいつもの半分くらいの大きさになっているせいで老けて見える。シミを見るたびに私はあの頃のことを思い出す。いまやあの頃のことを覚えているのは私だけだ。だからあれを幻だった、自分の認識が歪んでいるだけだと言ってしまうこともできる。でも傷跡はシミになって私の現実を突きつける。だんだん濃くなって、もうコンシーラでは隠せない。毎日、毎朝、鏡を見るたびに過去と対峙させられる。こんな気持ち、誰もわかってくれない。

　前髪から垂れ落ちる水が手の甲に当たっている。私は鏡を睨む。睨みつける。目のキワ、頬、額、口元。キメのあらい荒れた肌、そしてシミのある場所を睨みつける。

どうして今まで腹を立てずにいられたのかわからない。みんなずるい。ずるいじゃないか。特権的な場所にいた姉、自分の番じゃないときは嬉々として母の側に立つ父、怪我を見なかったふりをする教師、逃げ出したくせに幸せになってほしいという治人、みんなずるい。でも一番ずるいのはお母さんだ。どう考えたってお母さんだ。都合の悪いことは全部忘れ、忘れた分は姉のエピソードを埋め込んでいる。母にとって、私はあいかわらず気に入らない子供で、暴力を振るう代わりに完全に記憶から抹消することにしたらしい。昔から、そして今も母は自分に非があるとは考えない。薬のおかげで苛立ちがおさまってそれで幸せになって、いいお母さんになったつもりになっている。葉子は毒親って知ってる？　最近図書館で本を見つけたんだけど、あんなのは子供の被害者意識だよねぇ。大人になってまで親のこと悪く言って、はずかしくないのかしら。ま、アメリカの話だし、向こうの人はわがままだっていうからねぇ。母の口からその言葉を聞いて、私はなにも言えなくなった。母はなにもわかっていない。これからもきっと理解することはないだろう。

示談の条件として治療を受けることが決まったあと、父は私に言った。最近はずいぶん葉子につらく当たってたけど、全部病気だったんだな。お母さんはかわいそうなんだよ。だから許してあげなさい。な。私は助手席でそっぽを向いて、窓を流れ落ちる雨を眺めていた。

そんなの。

あのときも、私はそれ以上の言葉を思いつけなかった。でも今やっと言葉が出てきた。

そんなの、ずるい。

白眼が血走っている。血管も見えないほど充血している。洗面台の上から落ちてくる光がまつげの影を作り、まぶたのふちに涙が溜まっているように見える。頭は不安定に揺れ、そのたびに前髪からしずくが滴り落ちる。鏡の中の私が私を睨んでいる。

母は病気で、でも病識がなくて、薬を飲んだら頭がおかしくなると信じていた。高坂弁護士から説教されて毒づき、医者のことはヤブだと誹り、それで当時はまだ珍しかった自動インジケータを体内に埋め込むことになった。幸いアセチルコリン受容体活性化治療はよく効いて、母は穏やかになった。

それがどうして喜ばしいことではないのか。

私は怯えなくて良くなった。怪我をしなくても良くなった。楽しいことを考えても、遊びに行っても、それを非難する人はいなくなった。だから自由になったはずだった。母が過去の出来事を改竄していたとしても、実害がないのならどうだっていい。元に戻ってしまう可能性が少しでも低くなるなら、むしろ姉と混合しておいてくれたほうがいい。けれども私の細胞はそう思っていないらしかった。ずるい。許せない。私はまだまともじゃないのに。まだ怖いのに。私の人生を滅茶苦茶にしたのに。私はまだ眠れないのに。まだ夢を見れないのに。まだ。まだ。まだ。たくさん謝ってほしいことがあるのに。なのに。

体の中が熱い。鼻をすする。体は熱いのに、頬は冷えている。鏡の中私はあいかわらず紙のように白く、まぶたの中におさまりきらなかった涙が頬をかすりもせず洗面台の上に落ちる。

熱が出ているせいだ。だから悪夢を見たのだと頭が言う。腹が立っているような気がするのも、身体が熱いのも全部熱のせいだ。薬を飲んで寝たら、朝には忘れてしまうだろう。しかし、身体はそれに反抗する。熱くらいなんだ。In : Dream の制御のせいだ。あの装置のせいで私は奇妙な夢を見た。あるいは治人の結婚報告のせいだ。彼を思い出したせいで、蓋をしていた過去が蘇ってしまった。そもそもはみんながずるいせいだ。私に謝らないからだ。謝れ。私にばっかり。サポートの女性だってそうだ。オブラートにくるんで体調のせいだとか、気がかりなことがあると夢に出やすいとか、まずは睡眠サイクルを整えることからだとか、とにかく私はまともじゃないってことを繰り返していた。だったら、と私は背中をまげて息をする。もっとまともじゃなくなってやる。みんな死んでしまえばいいんだ。私の前から消して――私が消えてしまえば――

死にたい。

「死にたくない」

頭の中に溜め込んでいた「死にたい」があふれる。でも鏡の中私が間髪入れずに発したのは「死にたくない」だった。私の身体は死にたがっていなかった。死にかけたことのある身体はその恐怖を忘れていないのだった。足は動いて鏡の前から逃げようとする。頭をおいて逃避しようとする。足を踏み出すたびに床がへこむ錯覚をするが、私は背中を丸めてふらふらとベッドへ戻った。

ベッドサイドに茶色の小瓶がぼんやりと光っている。カーテンの隙間から控えめに入ってくる光は夕方の色を残し、ベッドサイドを照らしている。寝なければ、と私は思った。頭も身体も同じことを思った。生き延びるために、寝なければ。衝動にまかせてベランダから飛び出さないために一番有効な手段は、横になって目をつぶること。眠るしかない。私は机の上に放り出したままの調整剤を手に取り、キャップにあふれるほど中身を注いだ。まずは一杯。頭がまた死にたいを取りこぼす。もう一杯。今度は体が死にたくないと泣く。一日一回の服用量のことは覚えていたが、私の手はとまらない。手が震え、キャップを取り落としそうになるが、つづけざまに三杯を一息に喉の奥に流し込んで、私は咳き込んだ。胸がムカムカする。胃の入口あたりが膨張して息を飲み込んでもせり上がってくる。甘いはずのシロップが苦く感じられ、私は体を折って咳き込んだ。頭がぐらぐらする。でも、もう一杯、飲まなければ――もっとたくさん飲まなければ――

ベッドサイドで赤いランプが点滅している。In : Dream のデバイスの向こうで誰かが待っている。そんなことはどうだっていいのに――

コーヒーがなくてよかった。

不機嫌な声でヨウさんはなんですか、と言った。いつもよりさらに小さい声だ。ちょっと風邪を引いたみたいで、もう寝ようと思っているんです。大磯さんにとってこの言葉は予想外だったのか、詫びは早口になった。申しわけありません。こちらに送られてきたデータがかなり乱れていたので心配になってしまって、えっと、体調は大丈夫ですか？　もし必要でしたら、救急車も——

後ろで会話を聞いていた私は、大磯さんの椅子を軽くノックした。さすがに慌てすぎだ。ヨウさんはしぼり出すように笑い声をもらし、熱があるだけですからご心配なくとそっけなく応答した。

低い平板な声、投げやりなため息。私、もう寝ますから。すみません。本当に辛くて、私、なにか変なこと言ってますかね、言ってたらすみません。ろれつは怪しく、声はとぎれとぎれだ。

「とにかく」

息を吸う音がする。その音に私はいつの間にか息を止めていたことに気づく。ヘッドホンに手を当て、大磯さんは小首をかしげている。彼女が最後まで言葉を吐き出すのを待っている。

一秒、二秒、三秒——

視線を横にずらした大磯さんはメモパッドにさらさらと「寝ちゃったのかな?」と書いた。私は首を横に振る。リストの中ではIn:Dreamがアクティブになり、データを受信している。ステータスは覚醒にあるが、睡眠制御はすでにはじまっている。

「とにかく」

ヨウさんの声は突然響き渡った。先程までとは違い、固く、なにか確信めいた芯が感じられる声だった。突然のことに私は思わず両手で口をおさえ、大磯さんも珍しく目を丸くした。

「謝ってください! なんで起こすんですか、寝ようと思ってたのに!」

黒目をきょときょとと動かした大磯さんだったが、反応は早かった。丁寧な口調で詫び、デバイスを外してゆっくりお休みくださいと言う。お大事になさってください。本当に申しわけありませんでした。

「お大事に?」

ヨウさんはケタケタと不自然な声を立てて笑った。ヒステリックなほど大きく、高い笑い声だ。私と大磯さんが顔を見合わせると同時にその声はぷつりと途切れ、また不気味な沈黙がはじまる。私は息を止め、指を折って数を数えた。一、二、三……十、十一、十二……九十八、九十九、百——

大磯さんがそっとマイクをオフにする。

一覧の先頭はデータ受信を知らせるマーク。その隣にＩＤ、そして識別名。新規ユーザの場合は八桁の英数字が自動的に割り振られるが、二回目以降は名前が表示される。今、先頭にいるユーザの名前は「ナカグチヨウ」。ヨウさんだ。

「……外す前に寝ちゃったのかな」

しぼり出すように大磯さんが言ったが、私は答えられなかった。なにも答えられなかった。

5

「線路脇に道がないこともあるからさ、たとえば上野から日暮里にかけてって内側の方は墓地でしょ、谷中墓地。で、反対側は鶯谷で、線路脇はちょっと歩けないかなって感じで。そういう時は大通り沿いに進んだり、線路から遠ざかって内側をショートカットするんだけど、きちんとルート決めとかないと道がわかんなくなっちゃうんだよね。地図見てたりキョロキョロしてたら職質されるし」

泣き笑いの表情で治人は言った。地図を見て、ルートを決めて、それをたどるという単純な作業は失われて久しい。出発地点と到着地を決めれば、手のひらの中の誰かが全て教えてくれる世界に私達は生きている。だからこそあえて、自分でルートを決め、迷わないように歩くのが楽しいのだという。

そんな話を私達は長くベンチに座って話していた。あまりにも長く座っていたせいで体の芯まで冷えてしまっても、私は立ち上がれなかった。

今時珍しい紙の地図には色とりどりの付箋がはられていて、細かな字と蛍光ペンのマークが付いている。彼は私にそれを見せ、直近に行われた夜間散歩のコースをひとつひとつ丁寧に説明した。「道が細い、注意」「街灯なし」「通り抜け禁止の可能性有」「私道」「夜は門が閉まる」。

私は付箋の走り書きを十分にまぶたの裏に焼き付け、彼の説明をひとつ残らず聞いた。それからあくまでも丁寧に、家が遠いし実家から通うことになっているので夜のイベントには参加できそうにないと伝えた。彼は頷いて、また状況が変わって気が向いたら連絡をくださいと言った。もしイベントに参加しなくても、ルート調査は昼間にしているから、それだけでも構わないよ、と付け加えるのも忘れなかった。連絡先を交換するための、いかにも回りくどい手段だ。私達は大真面目にその手順を踏んだ。

まぶたの裏で、あのときの付箋の文字が揺れている。足の裏に強い力がかかるたびに私の視界は揺れ、まぶたが上下する。視界がまぶたに遮られるたび、私の中のなにかは激怒して、ますます前かがみになる。闇の中から私を追い立てる声がする。闇を突き破って迫ってくる電車の轟音が聞こえる。背後から噛みつかれないように、私は無我夢中で走った。足を前に出せばぐんと身体は前に進み、腕を振れば空気が身体の中に入ってくる。不安定に揺れる視界はずっと前を向いて、荒れたアスファルトが見えているのに、背後から迫ってくるのは電車の音だ。背後を振り返る暇さえないのに、私にはその音が電車だとわかる。

「道が細い、注意」

左足に体重をかけ、体を振り回して急回転する。飛び込んだ細い路地は両脇に壁が迫り、蔦と思しき草がその壁を登っているところだ。足元には小石が散らばり、前方には街灯がぽつねんとたって先の路地を照らしている。背後からはまだ轟音が迫っている。早く、早くと私の身体は急かす。知らぬ間に両の手は地面を摑んで走っている。ぐん、と先程よりずっと早く身体は前に進むのに視界は揺れなくなっている。息を吐く、足を蹴り出す。息を吸う。地面を摑む。息を吐く、足を蹴り出す――

ああ、と私は歓喜した。頭の中にぎっしりと詰まっていた固く黒いブロックがボロボロとこぼれ落ち、歓喜の色がその空白を埋める。景色が動くたび、前方の闇の中に形が現れる。うっすらとした線が太くなり、固くなり、物体となって私の横を駆け抜けていく。光を順繰りに送る街灯の下には艶っぽく光る街路樹があり、舗装の状態もばらばらなアスファルトがあり、車道と歩道の境目はあったりなかったりする。軽々と坂道を駆け上り、道を塞ぐ障害物や壁を飛び越え、私は走っている。追いかけてくる電車の音はもうない。もちろん、闇の中に突如響くモンスターの足音も、静かに途切れることなく聞こえる怒気を孕(はら)んだ声もない。雨上がりの空気は湿り、鼻先は凍っている。けれども吐き出す息は熱く、手足を動かすほどに固くなっていた関節に火が入る錯覚をした。気持ちがいい。身体と自分がピタリと合っているような感覚がある。こんなふうに身体を動かすのが気持ちいいなんて思ったことは今までなかった。もっと、ずっと走っていたい。ずっと遠くまで——

しかし私の思いを遮るようにわっと光が立ち上がって私の前に立ちふさがった。

光は質量を増している。足がずぶりと柔らかいものに沈み込んで、私はカッとなった。喉がぶるぶると震える。けれども、光は私の抵抗を寄せ付けなかった。ますます大きくなって押しつぶそうとする。身体を押し、私の意思とは無関係なところへ運んで行こうとする。抗えない。力。まるで満員電車の中にいるときのように自分の意思では身体を動かせない。押しても引いても手応えはなく、なのに抵抗できない。出してよ、と私は吠えた。邪魔しないで、離して、離してよ、どうしていつも邪魔するの！　けれども光は私を圧迫する。骨をすりつぶし、身体を平たくしようとする。ぎしぎしと音をたてて骨が砕けたとき、私は悲鳴を上げた。

インスタントコーヒー、昨日挽いたコーヒー、近所の保存食専門店で買った外国のココア、誰かが旅行のお土産で買ってきた北欧のコーヒー、有名ブランドの紅茶、真紅のパッケージは中国茶。カフェスペースに並んでいるパッケージを何度も繰り返し眺めて、私はまた天井を仰いだ。

帰る気分になれない。でも定時はすぎている。大磯さんは帰ったほうがいいと言う。モニタリングはずっとしているし、なにかあったら救急に連絡が飛ぶようになってるから安心してください。念のため割り込み処理ができないか開発に確認してみます。土曜だけどまだ夕方だからみんな対応できるはず、大丈夫です。

だと言うのに私は観葉植物の間でうろうろとして、時々わけもなく泣きそうになっている。

これは仕事だ。パーソナルな部分に触れる仕事だから、意識的にユーザ個人には踏み込まないようにしてきたはずだ。よく眠ってくれればそれでいい。手がかからないほうがいいユーザで、できれば時々使用して、時々チャットボットと話してくれる程度でいい。ヨウさんはその対極にあり、面倒な人だと思っていた。扱いにくい。ちょっと怖い。どうして返品してくれないんだろう、合う合わないは絶対にあるんだから諦めればいいのに。そう思っていた。

金切り声に近い「謝ってください」の声。思い出すだけでぞっとする。彼女は絶対におかしくなっている。それがIn : Dreamのせいでないとどうして言えるのだろう。

ガラス壁の向こうではサポートに精を出す同僚の姿がある。去年改装したばかりの社内は明るく、ガラス壁で区切られているので見通しはいいが、声は通らない。でも同じ部屋にいればやり取りは聞こえる。カフェスペースでうろうろしていれば、当然彼らの目にも入るだろう。

だめだ、と思う。帰らなければ。情緒不安定になるのは家に帰ってからだ。今日は夫も家にいるし、洗いざらいぶちまけてこのまま働くのは無理かもしれないと言おう。私のせいで。もしかしたら私のせいで、彼女は――

「間宮さん、大磯さんが呼んでますよ」

カフェスペースの扉を少し開けて、二ヶ月前に入ったばかりの同僚が私の方を手招きしている。すみません、と私は反射的に言った。背中を伸ばしてガラス壁の向こうを見やると、サポートルームの中で大磯さんが短い腕をぶんぶんと振っている。

「救急……？」

「え？　あー、えっと、いや？　笑ってましたよ」

私が通れるように扉を押さえて肩を引き、彼は少し口をとがらせた。サポート中も「えっと」を連発して焦るところがある彼だが、そんな不器用さを好ましく思うユーザは少なくないようでアンケートでは常に高評価を獲得している。たしかに少し気の抜けた彼の声の調子に、張り詰めていた気持ちが少し楽になった。私は礼を言ってサポートルームに走った。

「彼女」私が椅子におさまる前に大磯さんはこそこそと言った。「ノンレム睡眠に入りました」

彼の指がモニタを指している。見慣れた睡眠深度の時系列グラフが彼の指の先にある。一番上の赤い線は覚醒のしきい値、その下にある緑色の線はレム睡眠とノンレム睡眠のしきい値だ。線と線の間をカクカクと細かく振動しながら、彼女の眠りは旅している。赤い線に漸近したかと思うと急に頭の向きを変え、緑の線を突っ切って落ち、今は地面を這っている。かなり長い時間深い眠りに入っている。

嫌な予感がする。まさか――

「……心拍が」黙っていた大磯さんが突然マウスを動かして生データを表示させた。四つ並んだグラフの左上を指し、もう一度心拍が、と言う。

心拍、呼吸数、体温、眼球運動。見慣れたグラフである。リアルタイム表示のチェックを外した大磯さんが時間を少し巻き戻し、見てくださいという。しかしそう言われなくても不可解なグラフであることが私にもわかった。

In : Dream で計測する心拍グラフには心房と心室の収縮それぞれのピークを見ることができる。しかし、今表示されているグラフにそのピークはなかった。周期的な立ち上がりは見えるが、ピークに達する前に頭がグラフの上側につっかえて、平らになってしまっている。しかしそこからわかることもあった。少なくとも彼女の心臓は動いているということだ。ほっとして私は額に手をやった。

「心拍のインテンシティが飽和してるんです。もしかしたら片方が外れてるのかも……」

「そうなると、どうなるんですか？」

「どういう挙動になるかは僕もわからないんですけど、数字を見ると通常は心房、心室の収縮セットで1とカウントされるはずの心拍が、正しく判定されてないみたいです」

モニタのグラフをペンのおしりでコツコツと叩いて、この一塊を心房、次の一塊を心室として判定してるっぽいです。つまり、本来なら二回カウントされるところが一回しかカウントされない。

「すごく心拍が遅いって誤認してる……？」

そうです、そうですとせわしなく大磯さんは頷いて、すぐ下の呼吸のグラフも指した。こっちも同じです。片方はちゃんと測定できてるけどもう片方の値が信用できないのでグラフがおかしくなってる。体温が高めなのはおいといて、眼球運動も外れている分が計測できないので、こっちはすごく小さな値が見積もられてます。

私は口元に手を当ててグラフを睨んだ。

心拍が遅く、呼吸数が少なく、眼球運動がほとんどない。つまり典型的なノンレム睡眠だ。デバイスは彼女が深い眠りに落ちていると判定してしまう。

「どれくらいこの状態なんですか？」

「少なくとも二時間くらい……ですね。ログを見ると三十分くらい前から交感神経を活発にする方の制御がはじまってます」

「それ、まずいですよね。もっと心臓の動きを早くするってことですよね」

「はい。僕もそう思っていよいよまずいなと思ってたんですけど、見てください、これが今の状態です」

リアルタイムモニタリングにチェックを入れて、大磯さんはボールペンのお尻でまたコツコツとモニタを叩いた。横にスクロールした画面の中では、相変わらず奇妙な心拍グラフが表示されている。上は平らで、でも平らな頭の一部がへこんでいる。心拍のインテンシティが下がって、正常に心房と心室の収縮によるピークが見えるようになっている。心拍数は——約二秒で一回、およそ三十前後、覚醒時の半分だ。

深い眠りに入って(はい)いる。

まばたきをして、私はもう一度グラフの横軸を確認した。指で数えてみるが、やはり心拍は二秒に一回、眼球運動も完全にフラットだ。

大磯さんと視線が合う。寝てますよ、と声をひそめて彼は言った。ぐっすりです。なにが起こったのかよくわからないですけど、制御に成功したんですよ。

息を吸って目が覚めた――と思ったが、すぐにまだ夢の中にいることがわかった。木の生い茂る場所に私はうずくまっていた。ここがどこかはわからない。そう遠くないところに高速道路の高架が見えるし、まばらな街灯に闇が覆いかぶさっている。多分都内だろうと思うも、場所に心当たりはなかった。

私の頭上には木がたくましい枝を広げている。その枝の間をすり抜け、若葉を透かして街灯の光が降り注いでいる。立ち上がると、高架の少し手前にぽっかりと黒い穴が空いていた。会社か、公的な施設、大学、病院、公園、どれでも構わない。とにかく、安心できる夜の根城があった。

いつの間にか夢の中の東京も眠りについている。ひっきりなしに走っていた車は途絶え、オレンジ色の街灯が道を照らしている。時々タクシーや、エンジンをふかした宅配ピザのバイクが通り過ぎていく以外、人っ子ひとりいない。東京は眠っている。いつだったか私が驚きを持って受け止めた夜が今日も、当たり前のように存在している。

空を仰ぐと、星が出ていた。

星を明るいと感じることなど、山奥の空気の澄んだところでなければありえないと思っていた。でも私の足元に影ができているのは星のせいだった。私は外を歩いている。空の色は黒と言うには少し薄く、まだ夜が明けていないのにカラスはもうどこかで鳴いている。その体が闇とほとんど同じ色のせいで私からはどこにいるか認識することはできないが、たしかにそこには生き物がいて、かすかな光を享受しているのだった。

混乱を混乱として頭の中にとどめたまま、私は空の色を確かめるために背をそらした。空気は晩秋のように冷え込み、私は両腕を抱いて白い息を吐いた。息を吐くたびに体の中の淀んだ空気が掃き清められていくような錯覚をした。うっすらと白みはじめた東側の空は徐々に濃い色に変わり、まだ西側に残る夜に溶けている。深い藍色の空は弧を描き、靄のようにうっすらと筋雲が線を引いているのが見えていた。継ぎ目はどこにもなく、星ぼしは姿を消そうとしている。夜明けが近づいているのだ。その光景はいかにも静かで、整然としたさまを保っていた。ただひたすらに美しかった。

夜に満ちる光は闇と絡み合い、決して私の目を刺さない。優しく、慎ましく、豊かな夜の中に私を迎え入れてくれる。この夜の中に、恐ろしい足音を響かせるモンスターはいない。

夢が。

星明かりが少しずつ迫ってくる。藍色の天幕が落ち、私に迫ってくる。世界の輪郭は闇の中に紛れ、小さな、幾万もの星ぼしの明かりがまぶたに溶ける。私は目をつぶり、その色に身を任せる。腕をだき、息を吐いて、力を抜く。夢が落ちてくる。頬を撫で、まぶたを焼く峻烈な朝が来るまで私を――

6

地下鉄の窓ガラスに映る自分を見て、自由じゃないなと思った。なぜ急にそんなふうに思ったのかはわからない。ただ、自由じゃないなと思った。夢の中でもそんなに自由じゃなかった。結局東京を出られなかったし。

子供の頃からこの感覚は変わらない。なにかをクリアしたとたん世界が一変するんじゃないかと思っていろいろ試してきたが、なにも変わらなかった。夢だってそうだ。うまく眠れない自分はまともじゃないから、だから自由になれないんだと思っていた。In : Dream のおかげで確かに朝起きるのは少し楽になった。寝て疲れが取れるという感覚も理解した。けれども夢は銀の弾丸[*2]ではなかった。夢を見たところで私の中にある問題はまだ片付かないし、母と対峙する勇気もわかない。全然自由じゃない。がっかりだ。

でも、そんなものかなとも思う。人生ってままならない。良い方向に劇的に変化するっていうドラマはほとんどない。悪い方には簡単に転がり落ちてしまうのに。

そんな事を考えながら清澄白河駅の地下鉄のホームから改札階へ上がると、雨の匂いがした。薄暗く感じられる地下道を抜けて地上に出ると、繁茂する木々が目に入る。雨は降っていない。地下に染み出す水の匂いが私に雨を錯覚させたのかもしれない。

超高層ビルが林立するエリアから隅田川を挟んだだけなのに、清澄白河にはあまり高層の建物はないんだな、と私は思った。あまり降りたことのない駅だが、嫌いではない雰囲気だ。下町で、庭園があって、最近はおしゃれなカフェが増えて、じわじわと人気が上がっていると美容院で読んだ雑誌に書いてあった。深川めし、つくだに、紅茶専門店、おしゃれなパブ、トンボマークの看板はカフェだろうか？　入口のせまい花屋、古本屋、本格的なパン屋と昔ながらのパン屋、シャッターが半分下りている肉屋からはコロッケを揚げる匂いがする。いかにも下町な店と、お寺と、ディスプレイに趣向を凝らした小さな新しい店が境界もなく入り乱れていて飽きない。そぞろに眺めつつ歩いていると、あっという間に目的地にたどり着いてしまう。

目的地には三階建ての冴えない風貌の建て物があった。入口の横には今時珍しい木札に会社名が焼き付けてある。

（株）In : Dream。

あの美しいデザインのデバイスを作っている会社とは思えないセンスに、ほんとうにここだろうかと地図をもう一度チェックして、私はおそるおそる引き戸を開けた。

最初に目に入(はい)ったのは床だった。日に焼けて色あせた無垢の床板には黒い足跡がついている。入口脇には観葉植物があり、視線を上げるとすぐに灰色の壁、そしてその前にぽつんと華奢な机がある。机の上にはタブレットがあって、担当者を呼ぶ仕組みになっているらしい。急にハイテクになったが、このほうが私には対応しやすい。

タブレットを操作して担当者を呼び出してから、ミッドセンチュリー調のおしゃれなアームチェアに腰掛けてそわそわしていると、二階が騒がしくなった。やばい、渡辺先生まだいらしてないよ。とりあえずミーティングルームにお通ししてお茶だけでも出さないと。あ、やばい。ミーティングルーム取ってなかった。私、まだコーヒー淹れてるんで誰か対応お願いします。悪いけど大磯さん、頼める?　こっちもまだ資料が印刷できてない。渡辺先生は紙じゃないとだめだから。

ちょっと来るのが早かったかな、と私は携帯電話を確認して思った。五分前だから常識の範囲内だが、ちょっと遅れるくらいのほうが良かったかもしれない。

バタバタとした足音が階段を降りてきて、奥から顔を出したので慌てて私は立ち上がった。ぺこり、とシルエットの大きな人物が頭を下げ、お待たせしてすみませんと汗をふきながら挨拶をする。大きな男性だ。

私は頭を下げ、道に迷わないようにって思って早めに来たんですけど、意外とわかりやすくて。急かしてしまってすみませんと詫びた。彼はますますペコペコと頭を下げた。

一階は作業場なんです、作業機械とか在庫とかが置いてあって、いずれショールームにするとは言ってるんですけど手が足りなくて、と男性の言いわけじみた説明をうけつつ二階へ足を踏み入れると、建物の外観からは想像もつかない洗練されたデザインの内装が施されている。圧倒される暇もなく通されたミーティングルームもやはり隙がない。黒い壁のパーテーションには大きな内窓がついていて、それ以外の三面は壁一面のホワイトボード、机と椅子は北欧調だ。私は思わずため息をついた。なんかベンチャー企業みたい、とうっかり言うと、こう見えてもベンチャーですからね、と男性は笑った。

初めて夢を見た数日後、彼らは私にメールを寄越した。「ご愛用ありがとうございます」からはじまるメールには、今までの私にどんな睡眠傾向があり、睡眠制御に成功した日になにがあったのか、詳細なデータを交えた説明があった。そして今後の製品開発に活かしたいので来社して詳しい話を聞かせてもらえないか、と結んでいる。In：Dreamを監修した生体工学の教授も来るという。

謝礼ありの文字につられてうっかり引き受けてしまったが、よく考えればあの日、私は服用量を守らなかった。それに風邪を引いていて普段どおりではなかったはずだ。本当に私でいいのかと思い悩む悪い癖から抜け出せないまま今日が来てしまった。あの日のことを思い出すと喉の奥に硬いものが引っかかっているような錯覚をする。

大柄な男性は名刺を出し、大磯ですと自己紹介した。何度か対応させていただいたサポートエンジニアです。あと二人来る予定になっていて、中口さんのサポートを担当している間宮と、開発の中村、あと弊社製品の監修をしている渡辺先生もいらっしゃる予定です。ちょっと遅れるみたいなんですけど、すみません。私は慌てて頭を下げ、名刺を受け取った。

間もなく資料を携えて女性がやって来る。彼女が間宮さんだ。艶のある黒髪を前さがりのボブにしていて、よく似合っている。色白でタレ目で、体つきはほっそりとしているのに福々しい。その後にやってきた作業着姿の中年男性は中村さん。すぐにテキパキと説明を始めたがかなりの早口で、私が首をかしげるたびに大磯さんと間宮さんが彼を責める。はやいんですよ。僕にもわかるレベルで話してください。そうこうしているうちに、黒々とした髪の毛が印象的な初老の男性が部屋に入ってきた。彼が渡辺先生だ。彼の持参したお菓子を食べ、近所の店で売っているというお茶とコーヒーを飲み、ホワイトボードやスライドを使った詳しい説明を受ける。

私は正直に告白した。あの日、実はキャップ三杯か、もしかしたらもっと飲んだかもしれません。熱があったせいか夢が最悪で、自暴自棄になっちゃって。大磯さんは大丈夫ですよと言う。弊社のは三倍くらいじゃ死んだりしませんから。それより甘すぎて気持ちが悪くなりませんでした？　飲みすぎないようにそういう味付けにしてるんです。私はほっとして手を合わせる。怒られちゃったらどうしようかと思って、今日は来るの怖かったんです。あはは。人々は和やかに笑い、私は良かったと安堵する。みんな優しい。ここは怖くないし、私は客人のつとめを果たした。

それから丁寧なデータの説明がある。どうやら私が右耳用のクリップを握りしめたまま眠りに落ちてしまったのが、今回の事態を招いたらしい。In : Dream は私が深い眠りについていると誤認した。一定時間が経ったのでレム睡眠へ移行させようとして交感神経を活発にする制御を行ったが、実際のところ、その時の私はレム睡眠の真っ最中だった。だというのにさらに交感神経の活性度レベルを上げようとする制御が働いたのである。

私の脳は危機感を覚え、副交感神経を活性化させる物質を体内で大量に生成した。その結果、身体は自然に睡眠状態へ落ちて行ったということらしい。

説明は半分くらいしかわからなかったが、私は頭の中を整理しながら、あれみたいですね、と言った。えっと、なんて言うんでしたっけ、山火事を消すために火を逆方向から放つやつ。

向かい火ですね、と私の隣に座っていた渡辺先生が答えた。彼は大学の教授だそうだ。産学連携の一環として大学の先生がベンチャー企業の相談役となったり、自分たちの研究を製品化してもらったりすることはよくあると聞くから、私は特に驚かなかった。彼はよく通る声でよくご存知ですね、オーストラリアの山火事を鎮火するときに使う手法ですね。古い話になりますけど、古事記にも焼津の由来として記されています。昔の人達がどうやって思いついたのかわからないですけど、経験なんでしょうねぇ、今回みたいに。

首を傾げていた大磯さんが、急に大きく首を縦に振った。その様子を見て中村さんはなぜかにやにやしている。渡辺先生はまったくその様子に気づいていないようだ。向かい火は英語でバックファイアって言うんですよ、とうきうきした声で彼はまだ説明をしている。今回の事象がちゃんと立証されたら、バックファイアを名前の一部に取り入れたいんですよね。今のはスティミュラス法とか言ってるんで、バックファイア法なんてどうかな。かっこいいでしょう。

その声がどこか子供じみていて私は笑った。

脚注

1 LPWAN:Low Power Wide Area Network の略。LPWA（Low Power Wide Area）は低電力消費で遠距離通信を行うことに特化したＩｏＴ通信規格である。

2 厄介ものを一撃で倒す魔法の比喩表現。狼男や悪魔を退治するのに使用するという信仰から来ているが、ソフトウェア工学では「万能な解決策は存在しない」（『人月の神話』フレデリック・ブルックスより）という意味で使用する。

春を負う

The Man of Spring

登場人物

ツァンクー	タツェの少年。
ガプガワン	タツェの長。ツァンクーの父。
ミンヤン	ツァンクーの双子の妹。
グト	ツァンクーの祖母の夫。薬師。
ゲレクタシ	ツェチュの青年。交易びととしてタツェを訪れる。
ドゥクチェン	ゲレクタシの甥。
シャカパ	ゲレクタシの犬。
トンサ	ゲレクタシの羚鹿。
ニマ	ツァンクーの羚鹿。

地名

タツェ	森林限界付近にある村落。賢者の血脈チェギ・ルトによる代表制を敷く。
ツェチュ	塩谷のそばにある村落。
ラシャ	「美しい山」という意味を持つ山。チェギ・ルト襲名儀式の地。
セトパハド	ヌビヤクの最高峰。
チクトンカ	「千の川」という意味を持つ谷あいの地名。
カギュツ高原	森林限界の上に広がる草原。

一般名詞

ギュワ	闇の中に棲む、悪霊のようなもの。

1

男は春を負ってくる。

一匹の犬と三頭の羚鹿(ユム)を牽(ひ)いて、男は広い雪原を渡る。絶え間なく蒸気が立ちのぼり、世界の輪郭が曖昧なこの季節を旅するのは常人にかなうことではない。しかし彼らは山を登る。冬の神に支配される村へ春を届けるために、地面を踏みしめて歩くのだ。

村を見下ろす高原の端へたどり着くと、男に付き従う犬はきまって全身の力を振り絞って吠えた。太陽に焼かれて赤く染まった夕霞がその声に怯えて逃げて行くと、タツェの人々はようやく冬の姿が見えないことに気づく。犬の声は外からやってくる数少ない音だ。あたたかい生き物の気配だ。狼の物悲しい遠吠えとは異なる、人間の気配のする勇ましい声だ。

夕日の勢いが衰え、ふたたび冬の神が力を取り戻す頃、男は村にたどり着くだろう。村人達は長い旅をねぎらうため、畑の折り重なる斜面を登り、彼を迎え入れる。こうして今年も春が村に来る。男の名はゲレクタシ、神の村に春を運ぶ交易びとだ。

はるか昔から交易びとはいるが、その中でもゲレクタシは特別な男だったとツァンクーは今でも思っている。まだ冬の気配が残る森と高原を、凍傷や凍死の危険をおそれずたった一人で歩くのは並大抵の気力でできるものではない。ゲレクタシはさほど恵まれた体格ではなかったが、そのかわり頑強な精神が身体の中にぎゅっと固く詰まっていた。そんな男でなければ春を負ってくることはできないのだろう。

もう十日くらい待てば良かったのに、とガプガワンは小言を漏らした。ゲレクタシは即座に反発する。十日も待てるかよ。歩いたこともねぇくせにわかったような口ききやがって。だいたい去年だって塩が尽きて困ってたろうが。だから急いで持ってきてやったのに、文句でもあんのか？　ええ？

口の悪さはツェチュの男の特徴だ。ケッと息を吐いてゲレクタシは手袋をガプガワンに投げつけた。

「でもこの時期はまだ吹雪くし、去年みたいなことがあったら……」

「シャカパが吠えたら嵐なんか来ねぇよ。な、そうだよな……あれぇ、ツァンクーじゃねぇか！　シャカパはどこだ？　おい、シャカパ！」

茶でも飲んで落ち着きなさいとグトが笑いながら煎じ茶の椀を勧めた。

ゲレクタシの身体から放たれる研ぎ澄まされた冷気は隣に座っているツァンクーにも感じられる。彼の脱ぎ捨てた外衣は身体の形のまま固まって布に戻る気配もないし、頭からかぶっていた毛織物も折りたたむとしゃりしゃりと音がした。

雪原にはまだ冬の神が居座っているのだ。身体に身につけた布が凍る程度ですんだのは幸運だったといえよう。

茶と聞いたとたんにゲレクタシは相好を崩し、両手をすり合わせた。村に到着して最初の茶はなにも代えがたいと彼はいつも言う。二杯目はたいしたことねぇ茶だなって思うんだけど、一杯目だけはこの世にこんなにうまいものがあるのかって驚くんだ。たいしたことねぇ茶なのに、不思議なもんだな。

グトは笑って彼の指を診ている。どうかね、とゲレクタシの指をつまんでグトは訊ねた。少し色が悪いようだが、痛みはあるかね。曲げて、押し返して、そうだ、悪くなさそうだな。

「去年みたいな感じじゃないから大丈夫だと思うけどね。こっちはあんまり感覚ないけど」

右手の中指を上下に動かして、ゲレクタシは眉根を寄せた。その指の隣、薬指は第一関節から先がない。昨年の春、強い風の中をおしてきたときに、凍傷でその指と左手の小指、そして右足の薬指と小指を失ったのだ。男達に担がれて家に入(はい)ってきたゲレクタシのことを、ツァンクーは今でも鮮明に覚えている。

彼の住むツェチュからこの村タツェまでは、羚鹿に乗って二日程度、歩けば五日から十日の距離だ。雪のない時期でも命を落としかねない難所がいくつもあるうえに、森林限界よりも上にあるタツェへの道は高山病との闘いとなる。タツェへ向かう交易びとは高山病には強いことが大前提だが、それも体調しだいなところはあるそうで、それがなおのこと道を困難にしている。

こと春の往路で怖いのは最後の一日だとゲレクタシは言った。タツェへ向かう最後の野営場所を出て、ドゥジの背骨と呼ばれる尾根を登りはじめたら、前進以外の選択肢はない。風を遮る場所のない道であるから、嵐や夜に追いつかれる前にタツェにたどり着かねばならないのだ。

闇の中にはおそろしいギュワが待ち構えている。はるか昔、夜の神は月（ダワ）と呼ばれる白毛の羚鹿に乗って闇の中を駆け回った。羚鹿の毛がやわらかな光を森のあちこちに撒いたので、森の民は夜でも遊び、働くことができた。だが、ギュワによって彼女が死んだのち、月は洞（ほらあな）に引きこもり、二度と姿をあらわさなかった。森の民は神殺しを許した罰として、闇をおそれなければならなくなったのである。

夜がおそろしさを孕（はら）んだ帷幄（いあく）であるとするなら、嵐は獰猛な獣だ。絶え間なく吹きつける冬の神の息は身体を凍らせる。嵐が過ぎ去ったあと、村人が雪原にうずくまっていた交易びとの肩を叩いたところ、全身が砕け散ってしまったという伝え話すらあるほどだ。去年彼が指を失っただけで済んだのは、まさしく奇跡だった。

「ツァンクーや、湯をもらってきてくれるかね」

「おい、湯って！　指を漬けたら茶が飲めなくなるじゃねぇか、邪魔すんな」

「なぁに、飲ませてやるわい」

赤ん坊じゃあるまいし、とゲレクタシは顔をしかめるやいなや、一息に茶を喉の奥に流し込んでしまった。飲み終わってからは勝ち誇った顔をして鼻をそらしている。まるで子供だ。ツェチュの男ならではの仕草だが、こんなふうに子供じみているのはゲレクタシくらいだろう。

ゲレクタシの話は漏らさず聞きたかったが、ツァンクーはグトに言いつけられたとおり台所へ走った。台所では叔母と祖母が夕食の準備をしている。ゲレクタシ一人増えたところでたいして手間は変わらないと主張する祖母に対し、叔母は少しでもゲレクタシの労に報いようと手の込んだ料理を出したがるのが常で、毎回言い争いをする。今も豆がどうのと喧嘩をしている。

先にツァンクーに気づいたのは祖母だった。彼女は腰をかがめ、なぁに、と言った。お湯がいるの？困ったねぇ、お湯はその鍋の中にあるので終わりなの。このままじゃ足りなくなりそうだから、鍋を借りてこようかしら。二杯は必ず用意しておきたいし。

祖母が指した大鍋にはまだ半分ほど湯が残っていた。中身を大きめの椀に注ぎ、水瓶の薄氷を割って体温と同じ程度まで埋める。その間も祖母と叔母は言い合いを続けている。父さんが鍋を戻してくれたらすぐにまた湯を沸かせるでしょう。母さんは心配しすぎなの。ゲレクタシは病気じゃないんだから、そんなに大慌てしなくたって。

でもねぇ、と祖母は頬に手を当ててため息をついた。あの子、具合が悪いってなかなか言わないからあとで大変なのよ——

「そんなのいま言うことじゃないでしょうよ。ツァンクー、シャカパを見なかった？　まだ水も餌もあげてないんだけど」

「シャカパなら羚鹿小屋でしょう。あの子は羚鹿と一緒にいるほうが落ち着くみたいだからそっとしといてやりなさい」

「そんなこと言って、ちゃんともてなさなきゃ森が怒るわよ。お母さんは呑気なんだから！　ツァンクー、それがすんだらシャカパを探しに行ってらっしゃい。嚙まれないように気をつけるのよ」

ツァンクーは二人を睨んだ。騒がしさのせいで湯の温度がよくわからない。


ゲレクタシの相棒シャカパは犬である。

犬はよい相棒だ。狼が近づけば吠えて追い払い、荷や羚鹿を狙うものが気配を殺し近寄ってくれば、危険を人に教える。長い旅の間は話し相手になってくれるし、嵐に閉じ込められたときにはぬくもりを分け合うこともある。そんな大事な相棒は森が贈ってくれる、とゲレクタシはよく言った。人間にはなにも選べない。もちろん犬も同じだ。森が一人と一匹を引き合わせ、交易びととするのだ、と。

ふつう、交易びとの相棒となる犬はおとなしい性格であるというが、シャカパは極めて神経質なたちだった。人間を見るとすぐに吠えたり唸ったりする。その形相があまりにもおそろしいので、いつか人を殺すのではないかとツェチュでは噂されているのだそうだ。なるべく近づかないようにとグトもしつこく注意した。タツェではおとなしいが、シャカパは元来人が好きではないんだ。だから触れるととても苦しい。動顚して嚙みついてしまうかもしれない。ゲレクタシもシャカパに関してだけはグトに賛同する。あいつはまだ人間が怖いんだ、と彼は言った。俺が拾ったときから目がつぶれてたけど、たぶん人間にやられたんだろうな。

そんなシャカパとゲレクタシが出会ったのは五年前、ゲレクタシが悲しみを胸にたどり着いた村の入口だったそうだ。彼はその直前に長く相棒だった犬を失った。ぎゃんと一声だけ鳴いて、彼の相棒は奈落に消えた。ゲレクタシが振り返ったときにはもう影も形もなかったという。あまりにも唐突な別れだ。おそらく森の仕業だろうとゲレクタシはすぐに理解した。新しい相棒と引き合わせるために、森が犬を奈落に引きずり落としたのだ、と。

彼の直感通り、シャカパは座ってゲレクタシを待っていた。橙色に染まった木漏れ日が地面をさらに染めている夕暮れだった。

まだ耳が垂れている仔犬は、麦穂のように細いしっぽをくるりと巻いてゲレクタシを睨んでいた。

潰れた片目は膿んで虫がたかっており、みすぼらしい毛皮の下に肋骨(あばらぼね)が浮いている。舌も出さず、しっぽも振らず、仔犬はなにもかも理解しているように座っていた。ゲレクタシが抱き上げてようやく、仔犬は短く鼻を鳴らした。こうして一人と一匹は相棒になった。

　さあて、とグトが唸った。シャカパの話は明日にしないかね。もう遅いから二人とも休んだほうがいい。ツァンクーは寝る前に薬を飲まんとな。

　だがツァンクーは動かなかった。ゲレクタシは六味(ドマ)を嚙みながらにやにやしている。もうちょっと起きててもいいじゃねぇかよ、なぁ、と彼はツァンクーを覗き込んだ。たまには夜更かしして悪い子にならねぇとな。

　あれこれ急がんでも、とグトが言いかけたとき、ガタリと表で音がした。間髪を置かず、台所にいたシャカパが甲高いわめき声を上げる。だが、炉端にいた者は誰も慌てなかった。シャカパの裏返った声には怒りが含まれていたが、半分は脅かされた文句だったからだ。

「シャカパ！　あんまり吠えんなよ！　だぁれも取って食いやしねぇって――」

　玄関に向かって怒鳴ったゲレクタシの声は途中で、おお、という吐息に変わった。

「なんだ、ガプガワンか。遅かったなぁ、待ちくたびれたぞ」

「あとにしてくれ」

ぎしりと床板が軋んで冬の影が濃くなる。部屋に入ってきた黒い影は、ツァンクーに一瞥も寄越さず炉端に腰を下ろした。分厚い外套を脱ぎながら、茶をくれと短く言う。身体から冬と羚鹿の匂いがする。

ガプガワンは十二で父親を亡くし、十三でタツェの長になった。ツァンクーもガプガワン亡きあとは長になることが決まっている。それが神話に語られるチェギ・ルトの血を引くもののさだめだ。彼らは身を粉にして森と村に尽くさねばならなかった。子は父を殺し、やがて父になり、子に殺される。呪いともいえるこの血のさだめをチェギ・ルトが受け継ぐことによって、森の調和は保たれる。そんなふうに言い伝えられている。

しかしそんなチェギ・ルトであるガプガワンに対して、ゲレクタシはまったく忖度をすることがなかった。今も口をとがらせて食って掛かっている。おまえばっかり忙しいと思うなよ。俺だってささっと商談は済ませてツェチュに帰りたいんだ。帰ったら用事が山積みだし、俺が戻るまで交易に出れねぇやつもいるんだからな！　いいさいいさ、そんな言い方するなら、こっちにだって考えがある。

「汁はまだ残ってるか？」

「んだよ、吠えついたからってそんな冷たくしなくたってさぁ、なぁ……あれぇ？　シャカパじゃなくてツァンクーじゃねぇか。いつの間に入れ替わったんだ」

おどけた調子で大声を上げたゲレクタシにわき腹をくすぐられたが、ツァンクーは口をぎゅっと結んで動かなかった。彼にもたれかかっていると寒さを感じない。ゲレクタシの体温が高いせいもあるが、安心するからだろうとツァンクーは思っていた。特に声が好ましい。音そのものよりも、身体の中を伝わって耳に届く振動が心を落ち着かせてくれる。シャカパが無言でゲレクタシの足の間や脇に頭をもぐりこませる理由がよくわかる。

ゲレクタシの茶番を無視して、ガプガワンは鍋から夕飯をよそっている。彼の視線がツァンクーに向くことはない。存在は意識しているくせに、かたくなに視線を寄越さない理由がツァンクーには理解できなかった。

「今日くらい飯食ったらさっさと寝ればいいのに。グトもこんな時間まで引き留めるなよ」

「そう心配せんでも……ゲレクタシから森の話を聞くのもチェギ・ルトのつとめだろう」

「どうせ山の話をしてたんだろう」

ガプガワンは冷たくグトの言葉をあしらった。機嫌が悪いらしい。

ガプガワンは村人達にはきつくあたらないが、グトとゲレクタシへの態度は別だ。昨年ゲレクタシが指を失くしたときは、心配より説教のほうが長かった。

理由は山だ。

「セトパハドには絶対に登るなよ。さすがに森だって許しゃしないぞ」

「シャカパが行きたいって言うんだから仕方ねぇだろ。俺はついてくだけだよ」

「だめだ」

「んなこと言われてもなぁ。ちょっと夏に行くくらいなにが悪いってんだよ。どうせ……」

「ちょっとじゃないだろうが、ごまかすんじゃない。去年の夏はラシャに行ったんだって？　ミンヤンから聞いたぞ、私には内緒にしておくように言ってたってな」

くい、と顎をそらし、ガプガワンはゲレクタシを睥睨した。冷徹な視線だった。


ミンヤンかよ、とゲレクタシは斜め上を見上げてため息をついた。ツァンクーも同じ気持ちだった。しかしガプガワンは違う。冷徹な表情でゲレクタシを睨んでいる。頭を掻いてゲレクタシはまたため息をついた。

「なぁんで言っちゃうかなぁ。内緒の意味はわかってんのか、あいつは！　んや、違うんだって。そばまで行ったけど手に負えなさそうな場所だったから、すぐに引き返したんだよ。水場もねぇし、長居できる場所じゃないだろ。そんなに怒るなよ！　シャカパが行けるって言うんだからさ、行けるんだよ。引き返したのは俺が」

「ラシャだぞ」

天井を仰いだゲレクタシは弁解の言を止め、ぐっと口角を下げた。

山の件でゲレクタシとガプガワンが口論をするのは今にはじまったことではない。ゲレクタシが春を連れてくるたびに同じ光景を目にするし、秋の最後の交易の見送りでは絶対に山には登るなとガプガワンは何度も念を押す。それでもゲレクタシは登る。シャカパが行こうと言うからだ。そう言って、けっしてガプガワンの言葉を顧みない。

「チェタムやアツィツィなら文句は言わない。夏でも冬でも好きにしろ。でもラシャやパームツェや、ましてやセトパハドなんて言語道断だ、なんで登りたいんだよ」

「なんでって言われてもなぁ」

またもやツァンクーがシャカパでないことを忘れたのか、ゲレクタシは口をとがらせてツァンクーの脇腹を撫でた。

山岳地帯が八割をしめるヌビヤクの南側には万年雪をまとった峻峰が連なっている。空を切り取る峰々からすべり落ちる氷河はその裾野で大地を潤す川へと姿を変える。川が削った地面は谷になり、複雑な地形は雲を生む。雲は雨をもたらし、雨は深い森を作り、地面から染み出してまた川となる。

森を抜けた先にある肥沃な平地まで流れ出た川はやがて海へと流れ込むそうだが、タツェはもちろん、ツェチュの交易びとも海というものを目にしたことはなかった。森が雪崩落ちるように平地に迫っているとか、巨大な集落がいくつもあるとか、見渡す限りに畑が広がっているとか、鉄を打つ音がいつも聞こえるとか、森の民と同じようにセトパハドに神が住むと信じているとか、そんな話が断片的に入ってくるだけだ。もっとも低標高地域の村落では平地の人々と交流があるそうで、その村々から交易びとを経由して生活に必要な鍋などの金属はタツェまでやってくる。

すべての生き物は山を戴き、森とともにある。その頂点に立つのが、セトパハドだ。

磨きぬかれた刃物のような峰にはなにものも寄せ付けない気高さすら感じられる。頂上付近は常に強い風が吹きつけており、舞い散る雪が煙のように見えることから、火を扱う昼の神の住処とされた山であった。セトパハドに付き従う山々にもそれぞれに神話がある。たとえばラシャはチェギ・ルトの代替わりの儀式のために赴く地であり、儀式以外で足を踏み入れるのは禁忌とされている。

「ほんとだよ、ほんとに中には入ってないよ。手前に氷河湖があるだろ、その先まで行って尾根から見下ろしたら絶望しちゃってさ。今の俺には無理だってわかったんだ。ほんとにほんとだよ。シャカパも満足してたし」

ガプガワンは無言でゲレクタシを睨みつけている。グトは怒るより呆れたようで嘆息しているが、彼らのそんな表情も仕方のないことだろう。ツァンクーはガプガワンから顔をそらし、鉄瓶の口から立ちのぼる湯気を睨んでいた。

心がくさくさする。

「俺が死ぬようなことをすると思うか？　こう見えても引き際ってのは知ってんだ」

ガプガワンは答えなかった。沈黙がなによりも彼の不機嫌をしらしめている。けれどもゲレクタシがその程度で臆するはずはない。森が、とゲレクタシは続けた。いいって言ってんだ。なにが気に入らないよ。ええ？

「いつか死ぬぞ」

「もし死んでも、そんだけだ。森が決めることに俺は口を出せない」

「死ぬかどうかだけじゃない、ラシャはチェギ・ルトが神と会うための神聖な場所なんだ。そこに勝手に踏み入るなんて……」

「山域には入(はい)ってないって言ってんだろうよ。だいたいそんなの、たかが……神話じゃないか」

「たかが」

ガプガワンは太ももに勢いよくこぶしを叩きつけた。それだけでは気持ちがおさまらなかったのか、息を強く吐いてゲレクタシから顔をそらしてしまう。

　ぷつりと会話が途切れる。

　しんしんと夜は更けている。外ではまた雪が降りはじめたようで、壁を叩くかすかな音がする。草原を吹き荒れる風の音は遠く、ちりちりと鉄瓶が神経質な音を立てるのがいやに耳に響いた。

　ツァンクーはゲレクタシにもたれかかってまどろんでいた。いつもならガプガワンが気になって目が冴えてしまうのだが、ゲレクタシの隣では眠気に逆らえない。でも床板の軋む音は、聞こえた。

　大人達は気づいていなくても彼は壁の向こうに隠れているのが誰かわかっていた。そしてその人物が出ていく時分をうかがっているのも知っている。大人は彼女を無邪気だと評するが、それは彼女が大人の顔色を読むのが誰よりもうまいからだ。おどけたりわがままを言ったりするのだって大人の気をひくためでしかない。仲が悪いとか正反対の性格だとか言われることは多いが、ツァンクーはそんなミンヤンのことをさほど嫌いではなかった。

　心がくさくさする。

「そんなに怒んなくったって――わかったよ、俺が悪かったよ」

　ふてくされたようにゲレクタシがそんな不遜な言葉を漏らしたとき、みしり、とまた床板が軋む音がした。壁の向こうの人物はようやく機を見定めたらしく、てとてとと足音を引き連れて廊下を走って来た。そしてちょうどツァンクーの背後で足を止める。

「とうさんだぁ！」

ツァンクーは息を止めてゲレクタシの脇腹に顔をうずめた。背後から飛んできたきらきらとした声が、彼の横をすり抜けてガプガワンの膝の間に遠慮もなくおさまったのは見なくてもわかる。取り繕ったようにグトが息を吐いて笑ったが、ツァンクーの背中を撫でるゲレクタシの手は止まった。

「誰かと思ったら、ミンヤンか。夜更かしなんて悪い子だな。ギュワが来るよ」

「シャカパが鳴いたから目が覚めたの！　あたしもちょうだい」

いいよ、とガプガワンは穏やかな声でこたえた。先ほどまでの不機嫌な調子はすっかりひっこめてしまったが、これもいつものことだ。ミンヤンを相手にするときだけ、彼は父親面をする。双子のツァンクーには声すらかけないのに、だ。

「ミンヤンや、こんな夜遅くにごはんを食べたらお腹が痛くなるよ。それに父さんはやっと帰ってきたところなんだから……」

「お話読むって約束だもん」

「それならおじいちゃんがかわりに読んであげようかね」

「父さんがいい」

ツァンクーはじっとゲレクタシの鼓動に耳を澄ませていた。ゲレクタシの大きな手のひらはひだまりのようだ。

「まったくぅ、ミンヤンは相変わらずわがままだなぁ。あ、そうだ！　おまえ、秘密ばらしただろぉ、そんなんじゃギュワに喰われちまうぞぉ」

「父さんがやっつけてくれるから怖くないもん」

　こましゃくれた調子で言い返したミンヤンに、大人達はみな穏やかに笑った。動かないゲレクタシの手だけがあたたかく感じられる。


　毎年のことだがゲレクタシが来ると吹雪は止む。気温は上がらないが、人々は冬の気配がひそんでいる上着を肩に引っ掛け、日光をむさぼるために外へ這い出してくる。羚鹿は早く高原に行きたいと騒ぎ、元気を持て余していた子供達は走り回る。春が来た喜びが村にあふれている。

　そんなときに輪の中心にいるのはゲレクタシだ。

　話のうまい彼は、どこかの村のできごとを針小棒大に話して人々を楽しませるのを、滞在中の日課にしていた。交易びと以外とほとんど交流のないタツェでは、彼のような存在は貴重だ。日が高くなるにつれて人がどんどん集まってくる。ゲレクタシも嫌がらず、ときには声を張り上げ、あるいは声をひそませ、またあるときは村の誰かをあげつらったりからかったりして存分に彼らを楽しませていた。

そんなふうにゲレクタシが耳目を集めているのとは対照的に、ツァンクーは人目を避けて村の外れにいる。彼に付き合ってくれるのは人間嫌いのシャカパくらいだった。人の声はもちろん、多くの人間の気配を感じるだけで気が立ってしまうシャカパは、誘うようにしっぽをぴんと立て、ツァンクーの少し前をうろうろする。ついて行くと、村外れの木の根元に身体を投げ出して動かなくなってしまった。ダニでも取れという不遜な態度だが、存在を認められたようでツァンクーはうれしかった。

ゲレクタシの声はよく響いた。シャカパの長い毛をかき分けてダニを爪でつぶしている間、彼の隣に座っているのではと何度も錯覚した。シャカパは時折ぴすぴすと鼻を鳴らして不満を漏らしたが、ツァンクーが毛を撫でてやるとしっぽを二、三度振ってまどろみはじめる。

「ねえ、ラシャに行ったって本当？」

笑い声の中から、不意に女の声がした。ああ？　とゲレクタシが不機嫌な返答をする。

「なぁんでどいつもこいつも知ってんだよ。おい、ミンヤン！　誰でも彼でも話すんじゃねぇよ、内緒だって言っただろ！」

どっと人々が笑う。シャカパは左耳を持ち上げたが、自分に危害が及ぶわけではないと判断したのか、目は開けなかった。

「まったく……まあ、もったいぶるのもなんだし、話してやるか。俺はな、みんなも知ってのとおり、ラシャに行った。本当だ。でも誤解しないでくれよ。俺は近くまで行ったけど、ラシャの山域には入ってない。本当の本当だ。なんでって？　足が怖気づきやがったのさ！　今までいろんなとこに行ったけど、あの山は特別だよ。俺は今もまだ、あそこから見た景色は夢だったんじゃないかって思う。行く前はさ、美しい山だなんてなんちゅう名前だ、鏡でも見てから言いやがれって思ってたけど、あんな素晴らしい山を俺はほかに見たことがない――」

今度はぴん、と右の耳を立てたシャカパだが、やはり目は開けなかった。シャカパにとってタツェは居心地の良い場所のようだ。他に犬もいないし、タツェの人々は迷信深い。森の遣い神とされる犬に向かって石を投げたり、棒を持って追いかけたりすることなど絶対にない。

「最初はな、シャカパが行こうって言ったんだ。俺はさぁ、なにしろラシャだろ、さすがにさぁ……なんだよ、俺にだって怖いもんはあるよ。俺をなんだと思ってんだ。俺ぁね、足元から眺めてみるくらいなら話のネタになるだろうってつもりでいたんだ。だってチェギ・ルトの儀式で行くところだろ。道はあるわけだ。行けないこたねぇよ。みんな、行かないだけでさ。

タツェに寄ったらさ、あのこわぁいやつに怒られるに決まってるから、チクトンカっていう谷のほうを回った。チクトンカも崖がたくさんあっていいところだったけど……ああ？　崖があるのはいいだろ。逆に崖がない谷なんて面白いか？　おまえら、なんもわかってねぇな。とにかくチクトンカを過ぎて草原に出て、そっからは楽な旅だったね。夏だから歩いてるだけで気持ちが良いし、風はそんなに吹いてなくて、気をつけなきゃいけないのは狼だけだ。でも狼だって俺みたいな肉のないやつには興味ないから、怖くなんかないさ。それで五日くらい川沿いを歩いたかな、もっと歩いたかな、ティンパチェを通り過ぎるといくつか険しい山道があるんだけど、そこを夢中で登ってたらいつの間にか草もなくなって、岩だらけになってさ。さすがにそこら辺まで行くと空気が薄くて頭がぼんやりするんだけど、我慢して尾根を越えたら――そうだよ。あったんだ。ぱっと目の前にあらわれたんだよ。どこに隠してたんだってくらい深くて大きな谷があって、その真ん中から山が生えてる。天まで続く高い山が……」

ツァンクーは顔を上げた。

空には今日も雄大なセトパハドが見えている。

その東側、いくつかの山々の影に立つのが直線の稜線を持つラシャだ。美しい山という名の由来は、山体が完全な円錐形をしているからだという。山の形はどこから見ても常に同じ表情をしていて、稜線はやすりをかけたようにまっすぐだ。周囲の峻峰と比べると高さの点では見劣りするが、その不思議な容貌ゆえにこの地に訪れた賢者が神と対話した場所だと信じられている。

そのラシャへ行った。

行くだけなら簡単なはずだ、とツァンクーは思った。タツェの人間は羚鹿に乗って行くが、ゲレクタシほどの健脚なら徒歩でもさほど苦労しないだろう。高地なので足で着実に登って行ったほうがむしろ標高の影響を受けにくいかもしれない。あと数年もすればツァンクーもその地へ足を運ぶ。そして——

そしてガプガワンを殺すのだ。

のそりと顔を上げたシャカパが首を九十度にねじまげ、ツァンクーを見ている。毛に覆われて見えない左目とは対照的に、右目は澄んで穏やかだ。

去年の秋、ゲレクタシがわざわざ子供部屋を訪ねてきたとき、ツァンクーは静かにミンヤンと睨み合っていた。二人なりの喧嘩の流儀だ。どちらが多く毛布を分捕るか？　お互い引かないまま夜は更けていくばかりだったが、そこに顔を出したゲレクタシは開口一番、おまえ達二人には話しておかなきゃならないことがある、と言った。本当は俺だけの秘密にしておきたかったけど、おまえ達二人には特別に話してやる。秘密の話だぞ。おとなしく聞いてられるか？

ゲレクタシは来るもの拒まずといった態度で、ねだれば一緒に遊んでくれるし、話だってたくさん聞かせてくれる。けれども彼から歩み寄ってくることはなかった。改まった様子にいつもとはなにかが違うと直感して、二人は静かにゲレクタシの話を聞いたのだった。そのときに聞いたのが、ラシャの話だ。

あのとき、ツァンクーはラシャへ行くためになにをすればいいのか、と訊いた。風が吹けば咳をするような自分でも、いずれはラシャへ行かなければならない。その自覚が彼にはあった。少しでも体力をつけ、羚鹿に乗れるようになって――そのためにはなにをすればいいのか？

ゲレクタシの答えは簡潔だった。ガプガワンに訊け。それが嫌なら目の前の壁でも登れるようになるんだな。ラシャに行くまではたいしたことない。でもその先は大変だ。深い谷があって、底まで下りて、また登らなくちゃならない。谷を降りるだけならなんとかなりそうな感じがした。けど、その先は……。

ゲレクタシは口をすぼめて首を横に振った。俺にはわからなかった。とっかかりになりそうな岩も見つからなかったんだ。つるっつるでちょっとでも足を滑らせたら底まで真っ逆さまだよ。あんなとこをどうやって登るんだ？

「できる」

「できねぇよ。少なくとも今のおまえにはできない。おまえ、そこの壁を素手で登れるか？　ツェチュならたくさんいる。ドゥクチェンってやつなんかおまえ達とおんなじ歳だけど、すいすいって天井まで登るし、十五くらいになったらみんな縄一本で崖を往復するのが当たり前さ。タツェのやつには絶対できないだろ」

「できる」

できないよ、といつになく優しい声でゲレクタシは言った。ゲレクタシの膝に頬杖をついているミンヤンの髪を撫でながら、できないな、と彼はまた言った。俺達が羚鹿には乗れないみたいに、おまえ達は崖を登れないんだ。だから本当に行きたいんならガプガワンに訊きな。あいつは帰ってきたんだから。

私もできないわ、とミンヤンが珍しく口を挟んだ。でもいいの。だって私が行ったら、父さんを殺しちゃうもの。だから絶対に行かない。行けなくていいの。

太陽を喰らい、森を闇に沈めたギュワ。そのギュワが再び森に災厄をもたらさないよう、夜の神は自らの肉を抉(えぐ)り、骨を断(た)ち、二人の子供に与えたという。それがチェギ・ルトとチェギ・チェウだ。チェギ・ルトは目を凝らし、知を駆使してギュワを谷へ誘い込んだ。深い谷にはまり込んで動けなくなったギュワの首を断ったのは、チェギ・チェウであった。彼女は月を煌々と輝く白銀の刃に変え、果敢に飛び込んでいったのだ。すべてが終わったのち、月は二度と夜に出歩くことはなくなった。夜の神が闇津波に飲まれたのを悲しんでいるからだとも、チェギ・チェウのせいで深い傷を負ったからだともいわれている。チェギ・チェウがチェギ・ルトよりも強い呪いを受けたのは、彼女が神殺しを働いたからであろうか。

神話といえば必ず語られるこのエピソードは、ツァンクーにとって最も身近な話題だった。彼はチェギ・ルトであり、チェギ・チェウであり、そしておそらくギュワでもあるからだ。

「ツァンクーさぁ、なんかシャカパと同じ臭(にお)いしないか。くせぇぞ」

「ダニを取ってやった」

「あぁ、そういうことか。嫌がんなかったか？　全然？　珍しいなぁ、あいつが。よっぽど同じ匂いすんだな」

ツァンクーはむっとしたが、ゲレクタシにもたれかかるのはやめなかった。

ゲレクタシがタツェに着いて五日になる。ガプガワンとゲレクタシは毎日額を合わせて、どこを落としどころにするかと話し合いをしている。村人達の一夏の食事はすべてこの交渉にかかっているといっても過言ではない。ガプガワンが真剣なのは当然だし、ゲレクタシだって交渉のときだけはふざけない。しかしミンヤンは違った。ガプガワンにまとわりついて、邪魔ばかりしている。大人達は誰もそんなミンヤンを咎(とが)めない。

タツェから出せる主な品目は羚鹿の塩漬け肉や干し肉、乾燥させた塊酪(チェゴ)というチーズをはじめとした乳製品、毛織物、そして薬だ。それらの品々をタツェでは手に入(はい)らないもの、たとえば種や小麦粉、乾燥させた野菜、鍋や鏡などの金属類と交換する。

もっとも厄介なのは薬だ、とゲレクタシはため息まじりによく言った。一つ一つの薬の効能、用法、用量もきちんと理解したうえで、なにをどれだけ交換するかを決めなければならない。必要量が判断しにくいといつもゲレクタシは顔をしかめて難しい顔をした。珍しい薬だっていったって、めったにない病じゃそんなにたくさんいらないだろ。飲み方がややこしい薬も困る。あとできれば子供産むときとか、つわりに効くやつとかのがいいかなあ。絶対どこの村も欲しがるからな。

薬の話のときはグトも必ず同席するので、ツァンクーもゲレクタシにもたれかかって、グトにもらった薬草の書を読むことにしていた。

どれだけもたれかかってもゲレクタシは倒れない。背筋が冷たくなるような目でツァンクーを見下ろすこともなければ、にべもなく駄目だしをすることもない。義務感としか思えない態度で彼を抱き上げたりしないし、なにかを失敗したりうまくやれなかったりしても、切って捨てるような口調でツァンクーを責めたりはしない。

あたたかい、とツァンクーは思った。ゲレクタシはあたたかい。安心する。

村の人間ではこうはいかない。ツァンクーにあたたかい目を向けるのはグトと祖母くらいで、あとは仕方なく面倒を見てくれている叔母が時々甘えさせてくれる程度だろう。愛嬌のあるミンヤンでさえも、村の人々はどこか一線を引いている。それが両親の所業のせいであることを二人はうすうす勘づいていた。

チェギ・ルト、その血を引くガプガワン。そしてチェギ・チェウの血筋である母パドマ。

チェギ・ルトとチェギ・チェウが森林限界のこの高地をタツェの村として以来、この二つの呪われた血筋は一度たりとも交わることはなかった。夜の神の力を賜った二人は、どちらかがギュワに堕ちるときにはもう一方がその首を刎ねる契りを結んだ。だというのに、二人は子を生した。だから村人達はこそこそと噂をする。生まれた子らは森を苦しめるギュワになるのではないか、と。

もちろん分別のある大人達は二人の前でそんなことを口にしたりはしない。一度だけミンヤンのわがままに激昂した叔母が、ミンヤンに向かって胎を喰って出てきたくせにと怒鳴ったことがあるきりだ。あのとき、ミンヤンはきょとんとしていたが、ツァンクーはカッとなって怒鳴り返した。ミンヤンのほうが先に生まれた。それに死んだのは胎を喰われたからではない、と。

「ツァンクー、重いぞ」

大きな手が頭の上から降ってきて、顔をむちゃくちゃに撫で回す。ツァンクーが逃げようと両手を振り回すと、子供のように甲高い声をだしてゲレクタシは笑った。

「こんな甘ったれが！　こんなんでラシャに行きたいだとぉ？　冗談言うにしてももうちょっとひねれよな」

「俺はチェギ・ルトだ」

「なぁにが『俺はチェギ・ルトだ』だよ。おまえがラシャに登れるわけねぇだろうよ。森はさ、道を教えてはくれるかもしんないけど、だぁれもかわりの足にはなってくれないんだぞ」

「羚鹿がいる」

「ああ、こいつ！　減らず口叩きやがって！」

ガプガワンが手を止めたのが視界の端に映った。視線の行き先はわからなかったが、肌の上に不快な冷たさが残った。

「まったく、すぐ羚鹿、羚鹿ってよ、なんでも羚鹿頼りだからこんな弱っちくなるんじゃねぇの」

「俺の身体が弱いのは羚鹿に頼っているからではない。それに羚鹿に乗るにも筋肉が必要だから、ツェチュの男だって練習すれば乗れるはずだ」

「おまえってなんか小難しいこと言うよな、さすがチェギ・ルトだ」

「間違ったことは言っていない！」

「そんな怒んなよ。仲良くしようぜ、な」

にかり、と白い歯を見せたゲレクタシはなにを思ったか突然腰を上げた。慌ててその背中にしがみつくと、気持ちの良い声を上げて笑い始める。なにをするにも衝動的な男だ。からりとして、けっして深刻な顔を見せることがない。

「おう、重くなったなぁ、ツァンクー！　ちょっとシャカパとも仲良くしに行くぞ。あいつすぐ拗ねるからな」

どうにかその肩に手をひっかけ首にかじりつこうとすると、ゲレクタシはふざけて身体を揺すった。グトが笑っている。

「いいなぁ、ミンヤンも！　ミンヤンもして！」

「だぁめだよ。ミンヤンにはいいガプガワンがあるだろぉ。高い高いしてもらいな」

あるってなんだ、とガプガワンが呆れ返った声で答えたが、ゲレクタシはふざけて手を振っただけだ。山の話以外では仲の良い二人である。

ゲレクタシの首にかじりついたまま、ツァンクーは天井の梁に触れようと手を伸ばした。ガプガワンはめったにツァンクーを抱き上げないので、新鮮な景色だ。いつもは見えないものが良く見える。梁に手は届かなかったが、悪くない気分だった。

「あれに触りたいのか？」

「ん」

「大人になったら触れるさぁ。頭気をつけろよ、くぐるぞ」

ぴたぴたと裸足で板間を歩く音が聞こえたのか、台所の土間で丸くなっていたシャカパが顔を上げた。ゲレクタシにしか見せない、少し間の抜けた顔をしている。

「よっこいせぇ、と。おい、シャカパ、飯は食ったか？　食った。そっか。ん、なんだよ。あぁ、水か？　水な。水はどこかね。あぁ、あそこか。ツァンクー、取ってこい」

甘えてゲレクタシに鼻をこすりつけたシャカパは、ついでにツァンクーの足の匂いを嗅いで、またゲレクタシに頭をすりつけた。他の誰かなら手が付けられないほど吠えているか、白い牙を見せて唸り声を上げているところだが、今は鼻をぴすぴすと鳴らしてしっぽを振っている。ゲレクタシはそれに応えるように首回りの毛を荒っぽく撫でて、よかったなぁ、よかったなぁ、と繰り返した。

「あったかいところに入れてもらえてうれしいか、だなぁ。しかもあれだぞ、おまえ、チェギ・ルトを鼻で使ってるんだぞ。犬ん中で一番偉くなっちまったかもなぁ！」

「鼻で使ってるのはゲレクタシだ」

「なぁに言ってんだよ、人を乗り物扱いしてるくせにさ。お互い様だろ」

む、とツァンクーは口を曲げたが、言い返すのはやめた。ゲレクタシ相手ならムキになって言い返そうという気持ちにもならない。それがいいことなのか良くないことなのか、彼にはわからなかったが、言い返せば怒る大人が多いのも事実だ。ゲレクタシとは対立したくない。

「なぁ、シャカパよ。ツァンクーってなぁ、森で一番偉いんだってさ。ほんとだぞ。なんたってチェギ・ルトでチェギ・チェウなんだからな！　え？　信じらんないって？　まあ、俺もそう思うんだけど、これがほんとなんだってよ。昔いた賢者とおんなじなんだぞ、おんなじ。なに？　それくらい知ってる？　そんなバカにした顔すんなよ、俺は人間なんだ。なんでも知ってるわけじゃねぇんだよ」

「うるさい」

「おまえはほんと、シャカパとおんなじこと言うな」

ツァンクーは半ば呆れていたが、ゲレクタシを仰いで愛想半分にしっぽを振る犬のために地面に水の入った椀をおいてやった。たしかにこの犬も呆れたような顔をしている。旅の途中もずっとこんな調子なのですっかり慣れたというようにも見えるが、ツァンクーはいま、はじめてシャカパを少々不憫に思った。

「そうそう、こいつラシャに登りたいんだってさ。俺はねぇ、絶対行けないと思うんだけど、おまえどう思う？　だろー、無理だよなぁ。あそこを登るだけでもつらいのにさ、さらに下って登るんだからさ」

上り框に両腕を使って登る。尻はゲレクタシが押してくれたが、筋肉が不足しているのはツァンクー自身も認めるところだ。身体が丈夫ではなく、天気が荒れれば熱や咳が出て苦しむツァンクーは外で遊ぶ機会が少ない。しかもすぐに転んで怪我をするし、大人の手伝いをすれば失敗するので、そのたびにガプガワンに睨みつけられ、村人達には大丈夫なのかという顔をされる。

ゲレクタシがいないときのツァンクーの話し相手はもっぱらグトだ。そのうち丈夫になるし、何でもできるようになるから心配しなくてもいいとグトは励ますが、彼は自身のふがいなさが歯がゆかった。

もっと大きくなりたい。強くなってそして――

ギュワになるのか？

「なんかよくわかんねぇよなぁ、チェギ・ルトだ、チェギ・チェウだって。うちの母ちゃんはすごいお人なんだよとか言ってたけど、こんなちっこいのがねぇ」

「…………」

「俺はそんなややこしいのに生まれなくて良かったよ、ほんと。交易びとが一番さ。ま、どこで死ぬかわかりゃしねぇけど、難所で落ちて森に還るとか交易びと冥利に尽きるよな。山でもいいなぁ、崖登ってる途中で力尽きて死ぬとか。ツェチュの男ならそうでなくちゃ……ツァンクー、返事しろよぉ。独り言みたいだろ」

「ん」

「眠いのか？　お子ちゃまだなぁ」

「違う」

大きい、と思う。ゲレクタシは大きい。

身長ならガプガワンのほうが高い。心の広さでいっても、すぐに喚いたり、取り繕ったり、ふざけてごまかそうとしたりするゲレクタシは寛容とは真逆だ。

それでも、ゲレクタシは大きいと思う。

のそのそと伏せたシャカパがゲレクタシの足の甲に顎を乗せた。珍しく甘えたい気分だったのか、けだるげにしっぽを振って目を細めている。

一息ついてツァンクーは、ラシャのことを考えていた、と正直に口にした。いつもは饒舌なゲレクタシが黙っていたので、なにか急かされているような心地がした。

「去年の夏、ツァッパとチクトンカまで行った。昼過ぎに着いたから、遅くはないと思う。グトとも薬草摘みに行けるようになったし……だから羚鹿に乗れるようになったら、ティンパチェや氷河湖のほうまで足を延ばして……」

「あの湖まではそんなに大変でもないんだよなぁ。あそこだろ、青くて、ちょっと緑がかってる――」

「あそこからならそれほど遠くないらしいとグトが言っていた」

「グトはラシャに行ったことねぇだろうがよ」

「行ったことがないだけで、きっと行ける」

「そりゃそうかもしれないけどさ。無理することたねんだよ、おまえはチェギ・チェウでもあるんだし」

「行く。行ったらきっとチェギ・ル――」

突然ぐい、と首根っこを摑まれ、ツァンクーは首をすくめた。皮膚越しに、厚く固いゲレクタシの指の感触が伝わってくる。乾燥して、ところどころ皮が剝けており、しかも日に焼けて黒くなっている手だ。わかる。指の関節は少し曲がって固くなり、腱が浮かびあがっている。

「おまえな」

低い声だ。ツァンクーの首を摑んでいる指と同じくらい固く、そして力強い。ツァンクーは首を引っ込めた姿勢のまま、ゲレクタシを仰いだ。突然そんなふうに声が変わった理由が解せなかった。

「ガプガワンへのあてつけで行くようなところじゃねぇぞ、あそこは」

カッと腹の底に火が入った。目の前のゲレクタシがぼやけ、また元に戻る。苦しさを覚え、ツァンクーはけんめいに息を吸った。

「あの山はそんな気持ちで行って帰ってこれるような場所じゃない。だいたいさ、あいつの前じゃあれだからここで言うけど、俺にひっついてあいつの気をひこうとしたって無駄だよ。どっちかってぇと、あいつはもっともっとおまえのことが嫌いになる」

日に焼けたゲレクタシの目元には皺が寄っている。切れ長の目を細めた彼は、苛立たしそうに息を吐いた。

「そうやって人を試すのは一番やっちゃいけないことだ。そんなことすんなら嫌いだって言えよ。ミンヤンばっか構ってひいきする親父なんか大嫌いだって、言えばいいだろ。チェギ・ルトなんて代々そうだったんだから、別に誰もおまえを叱ったりしないよ。悪いのだって大人げないことしてるガプガワンのほうだ。みんなわかってる」

息がうまく吸えない。額が熱いような気がして、ツァンクーは眉間に力を入れて自分を抑えた。こういうときは癇癪か熱が来る。グトが相手なら受け止めてくれるが、他の大人ではそうはいかない。もしかするとゲレクタシなら笑ってくれるかもしれないと思っても、身体がこわばって上手く動かない。なんだよ、とゲレクタシは眉をいからせて声を低くした。

「なんだよ。なんか言いたいことでもあんのか？　そんな顔で睨みやがって、腹でも立ったか？」

「立ってない」

「嘘つくんじゃない。腹立ってるって顔してるじゃねぇかよ。なんで素直じゃないのかねぇ。怒ればいいんだろ、俺はおまえを怒らせようとしてんだから。そんなふうに嘘ばっかりついてると、ほんとにギュワになっちまうぞ」

指が肌に食い込んでいる。痛い、とツァンクーは思った。それでも彼の指はあたたかかった。片付けられた台所の隅では二杯の鍋に湯が煮えている。鍋から立ち上る蒸気と闇と、冷気だけがある。それ以外にはなにもない。ゲレクタシの指はあたたかい。

「ツァンクー」

耳を塞がなければと彼は思った。ゲレクタシの言葉はそれ以上聞きたくなかった。

ツァンクーだって本当はわかっている。ゲレクタシは父親ではないし、ガプガワンの代わりにはならない。どれだけ甘えても、数日もすればツェチュに戻ってしまう。ゲレクタシの生きる場所はタツェではないのだ。でも今はその事実を突きつけられたくなかった。

手は動かない。透き通ったゲレクタシの瞳に自分自身が映っている。ゲレクタシはいつだってまっすぐに人を射る。それしか知らないと本人も言う。愛想なんて知るもんか。俺は楽しいことと面白いことが好きなんだ。やりたいことをやるし、言いたいことを言う。それのなにが悪いんだよ。ゲレクタシはそういう男だ。

「俺はな、おまえの父さんにはなれないんだよ」

ゲレクタシの声は珍しくかすれている。いつもならもっと大きな声で、存在を誇示するように喚いただろう。けれども彼はそうしなかった。まるで立派な大人のようだ。

「別におまえのことは嫌いじゃない。からかうとすぐふてくされるし、シャカパにも似てるしな。でも俺はおまえの父さんじゃない。甘えられたって応えられないんだよ。わかるか」

「……」

「わからないのか?」

「……わかる」

「そうだよな。おまえならちゃんとわかるよな。別にさ、泣き言があるなら聞くし、相談事があるなら、俺はバカだけど一緒に考えてやるよ。励ましてほしかったらそうしてやるし、俺がわかることなら教えてやる。山に登りたいってんなら、おまえ、すぐに音ぇ上げそうでやだけど、でもちょっとくらいは付き合ってやるよ。そんなの別に全然大したことじゃない。シャカパみたいに喋らないやつより、喋ってくれる相棒がいたほうが俺だって楽しいさ。けど、線引きはいる。おまえはちょっと、俺のほうに倒れかかりすぎてる」

ツァンクーは顎を引いた。ゲレクタシの声は容赦なく頭の上から降ってくる。声音を変えるような器用なことができる男ではない。不器用なのではなく、その必要性をこの男は微塵にも感じていないのだ。率直で素直で、正直であることがなによりも正しいと思っている。

「そんなに頼られたら歩けないだろ。俺は――」

シャカパは目を閉じて動かない。いま、この瞬間だけは誰からも襲われることはないと信じきっているように耳を伏せ、しっぽをだらりと弛緩させている。本当に眠っているのかもしれないし、そんなふりをしているだけかもしれないが、ツァンクーはなぜかそれが腹立たしかった。なぜ自分が犬ではなかったのかと思えてならなかった。なぜチェギ・ルトに生まれついてしまったのか？　それもチェギ・チェウの血をも引くチェギ・ルトに生まれついてしまったのか。そう思わない日はない。人々から疎まれ、自分の父親からさえも望まれない子として見られる自分が憎かった。

指が離れる。だが、すぐにまた固い皮膚があたって、ツァンクーは首をすくめた。

「ごめんな。痛かったよな。なんか力加減できなかった」

「…………」

「俺はさぁ……交易びとなんだよ。森に交易びとになれって言われたんだ。だから、いつ死ぬかわかんない道をたった一人で、羚鹿と犬と一緒に歩かなくちゃいけない。すっごい寂しいけど、それに耐えなきゃいけないんだ。もうダメだって思うことはたくさんあるし、このまま落ちたほうが楽じゃないかとか、寒くて動きたくないとか、そういう誘惑に全部打ち勝たないといけない。たった一人でだ。でも、たった一人だからできるんだ」

ツァンクーは彼の腕を払った。首の付根にはまだ、彼の固い皮膚の感触が残っているが、今はそれも厭わしかった。

「タツェに来る交易びとってのはそういうやつじゃないとダメなんだ。森が認めてくれないんだよ。それにさ、俺はさぁ、ガプガワンに何度も止められてるけど、崖を見たら登りたくなる。登っちゃうんだ。少しでも時期がずれたら死ぬってわかってるけど、でも足が勝手に動くんだからしょうがねぇんだよ。死にそうになったことは、何回もある。いつどこで死んだっておかしくない、俺はそういうやつなんだ」

「森は、交易びとを殺さない」

「交易びとじゃなくなったらあっという間に死ぬさ。それにもう次は多分決まってるしな、俺も長くないよ。だから——」

かまどの中で静かに薪が森に還っている。かすかな沈黙の音を空気の中に滲ませ、ゆっくりと静かに、森に還っている。まるで人間そのものだ。いや、人間が木と同じなのかもしれなかった。森の中に住む全ての生き物は、みな森に還るのだ。

「だから、な、危ないぞ。あんまり俺によっかかってると一緒に崖から真っ逆さまに落っこちるかもしれない」

「交易びとは死なない」

「死ぬよ。いつか。みんな死ぬんだから」

「死なない」

ゲレクタシの黒い虹彩に泣き顔をした子供が映っている。これは自分ではないとツァンクーはいつも思う。なぜこんなに小さな子供が映っているのか？　自分はもっとたくさんのことを知っているし、もっとたくさんのことができるはずだ。チェギ・ルトだからできないわけがない。だが実際に手を動かそうとすると届かない、力が足りない、動けない、わからなくなってしまう——できない。

ゲレクタシの目の中の子供が歪み、輪郭がぼやけ、そしてまた元に戻る。

「死な、ない」

「俺は永遠に生きるチェギ・ルトじゃないんだ、いつか死ぬ。みんなと同じだよ。それが森に生きるってことだろ」

「死なない。ずっと、死なない……！」

なぜ目のふちが熱くなるのだろうとツァンクーはいつも不思議に思う。頭の中は静かなのに、額のまんなかあたりが際立って熱くなる。そうなると目は痛み、鼻の奥がつんとして涙があふれ出してしまう。グトはそれを火の気と呼んだ。悔しかったり、悲しかったりすると、眉と眉の間に火が入る。これは森の民が引き受けるべき罰の一つだ。ツァンクーにはわからなかった。彼はいつも同じだ。なのに身体が勝手に動いてしまう。

相好を崩したゲレクタシは荒っぽくツァンクーの額を叩いた。唇を歪め、笑いを嚙み殺している顔をしている。彼がなぜそんな表情をするのかツァンクーにはわからない。わからないことばかりだ。なにもわからない。チェギ・ルトならなんでも知っているはずなのに、ツァンクーにはわからない。

「まったくしょうがねぇなぁ……」

ツァンクー、と廊下の先から声がした。祖母の声だった。

「どうしたの、なにか……あら、ゲレクタシと一緒だったのね。喧嘩でもしてたの？」

にやにやとゲレクタシはまだ笑っているが、いつものようにツァンクーの肩を抱いてぐっと脇腹に引き寄せた。氷のような冷気は感じない。あたたかい、ひだまりのにおいがする。

「ちょっといじめたら泣いちゃってさ」

「まあま」

「ツァンクーもまだまだ子供だな」

ツァンクーは鼻をすすった。そしてまた、ゲレクタシは大きいと思った。

2

「ねぇ、ツァンクー」

ミンヤンの声に彼は顔を上げた。さきほどまで機織りをする規則正しい音を立てていたくせに、いつの間に炉端に来ていたのか？　斜向かいでぶつぶつと畑の刈り入れの時期について自説をぶつけあっていた若い衆の視線に怯えるように、ミンヤンは柱に身体を寄せて背後を振り返った。そして再びツァンクーに向き直り、人が来たんだって、と言う。サキャから聞いたの。川のほうに何人か来てて……ツェチュかららしいんだけど。

「ツェチュ？　ゲレクタシか？」

「ううん、違うみたい。シャカパの声もしないし、それにゲレクタシは上から回ってくるでしょ。下から登ってきたんだって」

「山の中を……？　グトは？」

「わかんない。シェパが呼びに行ったかも」

タツェの若者が獲物を深追いしてツェチュに宿を借りることは時々ある。しかし逆は滅多にない。どちらも深い谷と急峻な尾根の傍らにある村だから、地形そのものは原因ではない。標高が人を拒むのだ。頭痛に動悸、息切れに吐き気、最悪の場合は意識を失うこともあるとわかっているのに、わざわざ危険を冒してまでツェチュから人が来るとすれば、彼らには対処できないなにかがあったと考えるのが自然だ。

岩盤が崩落し何人も下敷きになったか、川があふれて村が飲み込まれたか、はやり病でばたばたと人が死んでいるのか――

ミンヤンに湯を沸かしておくよう頼んで、ツァンクーは家から飛び出した。村のすぐ下にある川まで下りると、見知らぬ男が何人か登ってきているところに出くわす。先頭は体格のいい壮年の男、そのすぐ後ろにツァンクーと歳が変わらないであろう少年、さらに後ろに青年が三人ほど続き、声を掛け合っている。斜面下にはまだ何人かいるようだ。

斜面下に呼びかけていた先頭の男がツァンクーを振り仰いで、はっとしたように目を大きくした。

男の歳はおそらくガプガワンと変わらないくらいだろう。頭に白髪が交じっているが、表情や身のこなしは年寄りとはいいがたい。彼が牽役（ひきやく）で間違いなさそうだ。川を飛び越えようとするツァンクーに手を差し出し、男は「ルト様は」と焦った口調で言った。

「先代は死んだ。なにかあったのか」

「死んだ――」

気まずそうに男は息を呑んで、目を泳がせた。男の後ろで少年はじろじろとツァンクーを見ている。ほかの男達に比べると背が低く、身体も貧弱だ。しかし誰よりも気力にあふれていることは一目見てわかった。

ゲレクタシがいない。タツェに来るのにゲレクタシがいないわけがない。このあたりの道に一番慣れていて、体質的に問題がないことがわかっている彼を道案内に立てない理由はないだろう。なにかあったのか？

「ああ、今年だったか……」

なにが、と隣の少年が甲高い子供の声で男に尋ねた。口を曲げて不機嫌そうな顔をしていると思っていたが、そのままの表情の声だ。代替わりだよ、と小声で男がささやくと、少年は理解しがたいというように顔を歪めて、ますます入念にツァンクーを頭からつま先まで見る。奇妙な少年だが、今は構っている暇はない。

「次のチェギ・ルトは俺だ。ツェチュでなにかあったのか」

グトが横をすり抜けて早足で斜面下に降りて行ったので、ツァンクーは目の前の男に意識を集中させることにした。この男から見ればツァンクーは子供にしか見えないだろうから、ガプガワンを呼びたいと思うのは当然だ。そのうえ村の若い衆の中でも一番貧弱な体格をしている。その失望したような表情も仕方がない、と彼は冷静に思った。

「いや、ツェチュはなんともないんですがね、ゲレクタシがもう何日も帰って来ねぇんでさ。こいつの話じゃ山に行くって言ってたらしいから、タツェに寄ってないかと」

人々の目がツァンクーを見ている。だが彼は思わず背後を振り返り、セトパハドを仰いだ。

峻厳な白い峰は今日も風にけぶっている。


紺碧の空に薄くたなびく煙のように白い雪が舞っている。目に痛いまでに白い山峰が空をぎざぎざと切り取っている中、セトパハドだけは常に煙を吐いていた。しかし、どこかのどかな風景も地上で見ればこそだ。頂上には身体ごと持っていかれるような強い風が吹いているに違いないのである。

夏の盛りのこの時期、ゲレクタシは交易に行かない。それよりも崖に生える茸を採ったり、まだ登ったことのない崖を一つ一つ登ったりするので忙しいのだ。いつだったかラシャへ行ったというのもそんな夏の盛りの時期のことだった。

ここ数年のゲレクタシはセトパハドに固執していた。ラシャよりはどうにかなりそうだ、ときまって彼は口にした。けれども毎回途中で断念して、頂上まで行き着いたことはないらしい。そして交易に来るたびにガプガワンに小言を食らっていた。

今年の春に彼が来たとき、ガプガワンはいつもよりも長く説教をしていた。夏のはじめに死ぬことが決まっていた彼が、今まで言い足りなかった分まで熱を込めて説教をしたのは想像に難くない。ゲレクタシは珍しく反駁（はんばく）もせずに神妙に聞いていたが、ガプガワンのいないところではおどけた調子で肩が凝るという仕草を見せる。あれがゲレクタシなりの別れの告げ方だったとツァンクーは知っている。

「この時期に高原の向こうまで行くならタツェに寄るだろうと思いましてね……でも来てねぇんだったら、どっかで落ちたのかもしれねぇな」

牽役の男は顎をぞろりと撫でて苦い顔をした。言葉の割には落ち着いている。

「高原の向こう？　羚鹿を連れていったのか」

「トンサを連れてたらしいんですよ。こいつの話では冬用に蓄えてる草も何袋か積んでったとか」

ツァンクーは目を細めた。

トンサはゲレクタシの羚鹿だ。昨年タツェに生まれたが、今はツェチュで人間よりも大事に育てられている、とゲレクタシは笑う。羚鹿を消耗品とするツェチュではめったにないことだ。おそらく神の村タツェから来た羚鹿は無下に扱えないということなのだろう。

夏のこの時期、森の中も高原にも羚鹿の食む草は十分にある。だからわざわざ羚鹿のための食料を持って行ったなら、植生限界を超えた場所に行くつもりだということだ。やはりセトパハドだろうか？

そわそわと牽役の男は手をもんでいる。

滑落は珍しくないと男は言ったが、仲間が死んで平気でいられるはずはない。誰だって遺骸が見つかるまではいてもたってもいられないし、死を確認してからしばらくは悲しむものだ。

グトが呼んだのか、タツェから数人の男達が下りてきた。見ると草むらにへたりこんでいる数人をグトが介抱している。さほど重篤ではなさそうなので、任せておけば大丈夫だろう。たぶんしばらくしたら誰かが羚鹿を牽いてくる。登ってきたことで具合が悪くなったのなら、下ろせばいい。高山病に薬はないが、対処は子供でもわかるほど簡単だ。ツァンクーはゲレクタシのことに注力しなければならない。

「村を発ったのは何日前だ」

「パームツェのてっぺんから太陽が昇る日だ」

俺は交易に出てたからわかんねんだが、と口ごもった牽役の男を押しのけたのは、少年だった。彼は山々を指さしている。

「あのてっぺんから……」

「何日前だ。ことツェチュは場所が違うから太陽が昇る場所を言われてもわからん。十日前くらいか」

「いんや、十五、六日くらい前だよ。青の鷹星が沈む前だったし。あいつ、かんじきも持ち出してやがるから、雪のあるところまで行くつもりでいると思う」

少年は言い終えて、どういうわけか怪訝な表情になった。また口をぎゅっと結んでじろじろとツァンクーを見る。いったいどんな表情をしているのか、とツァンクーは静かに息を吐きながら思った。ひどい顔なのだろうか？　自分では平静そのもののつもりだが、十五、六日前と聞いて思わず身体が反応してしまったのかもしれない。

十五日前といえば、ツァンクーとガプガワンがラシャにいた頃だ。

「あれは足が速いから夏の道ならここまで三日もかからないだろうが、来たとは聞いていない」

「でもあいつ、チェギ・ルトには挨拶しとかないとって言ってたぞ」

「チェギ・ルトは死んだ。もういない」

ひゅっと少年が首をすくめた。

声が尖ってしまったと思う。しかし止められなかった。取り繕う方法も思いつかない。

ぺちん、と牽役の男が少年の腕を叩いた。少年は口を尖らせたが反抗はしない。すまねぇ、と男が少年の代わりに謝ったので、ツァンクーは首を横に振った。

「おまえなに言ってんだ、ちったぁ考えろ、バカ……！」

「先代のことは構わない。ずいぶん前から決まっていたことだし……それよりゲレクタシの行先は森の中と高原で二手に分かれて探したほうが良さそうだな。あまりぐずぐずしていると手遅れになる」

すみませんや、と男は眉尻を下げて再度詫びを口にした。すぐに隣の少年を見やり、背後の仲間へと視線を送る。みな不安そうな顔をしている。青ざめて泣き出しそうな者さえいる。しかし少年だけは平然としていた。

奇妙な少年だ、とツァンクーは思った。どことなくゲレクタシに似た雰囲気があるが、親類だろうか？

「高原は羚鹿に乗って行ったほうがはやいし、ここより高いところとなるとツェチュのものでは厳しかろう。ひとまずトンサがいないかどうかだけでも確認してくる。ラシャなら帰り道ですれ違っていたはずだから、セトパハドの方面を見てくる。森の中も誰かに羚鹿を連れて行かせよう。この辺りなら谷へ下りる道もみな知っているし、手当てをするにはここまで運んでこなければならないからな」

もしゲレクタシがどこかで遭難しているなら、はやく救出しなければならない。もし滑落して死んでいたとしても、秋が来る前に見つけ出さなければ二度と見つからない可能性がある。すでに獣に荒らされているかもしれないし、冬になれば氷雪が彼を隠してしまう。そして春が来ると、雪解け水が彼の痕跡を押し流してしまうだろう。

少年はまだツァンクーを見ている。じっと、なにか値踏みするような視線でツァンクーを眺め回している。だが、ツァンクーはさしてそれを不愉快に感じなかった。ただ不思議に思っただけだ。この少年はなにを見ているのか？

少年に視線を送ったついでに、ツァンクーはそのまま顔を巡らせた。彼のすぐそばには代替わりしたばかりの若い衆がいる。ツァンクーの世代でまともに動ける年齢のものは、たったの四人。最年長のツァッパでさえまだ十五だ。青年というよりは少年である。あとはほんの子供しかいない。

タツェでは名付けをした長で世代が分けられており、チェギ・ルトの代替わりと同時に中心となる世代も交代する。早すぎる代替わりに適応するための知恵だ、とグトは折にふれてツァンクーに言った。代替わりしたからといって気負うことはない。困ったことがあれば年寄り衆に相談すればいい。みんなそうしてきたから誰もおまえを責めたりはせんよ。

誰とセトパハドを登るか。

長くガプガワンの相棒をつとめていたダツェンをみやる。腕を組んで渋い顔をしているダツェンと視線がかち合う。顔には書いてある。子供達に任せて置けるような事態じゃない。

当然だろう。彼はまだ壮年で、年寄りと呼ぶには若すぎる。しかし代は変わったのだ。ガプガワンの死とともに世代は交代したのである。いつまでも上の代を頼るわけにはいかない。

たくさんの目が、ツァンクーを見ている。決めろ、決断しろ、正しい判断を下だせ。チェギ・ルトのように。森を救ったチェギ・ルトのように、あるいは森を守り抱いたチェギ・チェウのように――ごくり、とツァンクーは唾を飲み込んだ。彼はチェギ・ルトにならなければならなかった。頭ではわかっている。でも、身体が追いつかない。子供の頃からそうだった。あの頃は自分こそがチェギ・ルトなのだから、うまくやれないのはきっと身体がおかしいのだと思っていた。でもラシャへ行って彼は変わった。

自分の足りなさはわかっている。彼はただの少年だが、タツェの習慣では長を務めねばならない。自分にその素質がないのに、役目を果たさねばならないと思うとずしりと腹の底が重くなる。

誰と山を登るか――

「ツァッパ」

不安そうに面々を見回していたツァッパは目だけでツァンクーを見た。半分は不安、半分は期待が見え隠れする表情だった。代替わりして最初の一大事に相棒を指名されれば、以後は村でも一目置かれる存在になる。なにも持たないタツェの男にとって、それは数少ない名誉だ。父親のダツェンがそうだったように自分もなりたいと思うツァッパの心持ちを、ツァンクーも知っている。

でもツァンクーは次の言葉を発せられなかった。

なぜ、呼んでしまったのか。

ツァンクーは唇の裏側を噛んだ。頭ではイシェを連れて行けという声がする。なんでも器用にこなすイシェのほうが、怠け癖があってどこか頼りないツァッパよりいい。村の人々だって安心する。でも心は別のことを考えている。

舌が動かない。

余裕のある表情をしていたイシェが眉根を寄せ、ツァンクーを睨んでいる。なにか言わねばと彼は思った。なんでもいい、とにかく前に進まねばならない。黙っていては誰も動けない。ことは緊急を要するのだから、でも、なぜ――

「――森を探してくれ。誰か一人、いや、パサンを伝令にして、見つけたら空砲のあとに伝令弾を撃て。怪我人なら赤、手の施しようがなければ青だ」

ツァッパは視線を落とし、しぼむように小さくなった。視線をそらし、ツァンクーは牽役の男へ向き直った。

「俺はイシェとセトパハドへ向かってみる。トンサを見つけたら知らせる。ダツェンは……村に残って伝令の中継をしてくれるか。それとトンサが上で見つかったときのために用意もしておいてほしい。上のほうへ探しに行くとなると大仕事だから、五人、いや六人は必要だな。ミンヤンにも頼んでおくが、グトが戻ってきたら……」

風は冷たかった。草原を一人で走ってから十日も経たないのに、風にはすでに氷がまじり、はやくも冬がじりじりとセトパハドから滑り落ちてきている。そんな冷たさだった。

氷河から流れ出る川をのぼり、短い草が生える高原を走る。ティンパチェから下ってきた川を右手に見ながら、二人は淡い水色の川辺を走った。トンサがいるなら水場のそばを離れないだろうという判断だった。しかし、足跡は見当たらない。

「足跡、ないな。どうする。ラシャのほうに行くか」

イシェが息を切らしている。ニマは興奮しているのか首を激しく振り、落ち着きなく前脚で地面を叩いていた。ニマにとって高地は二度目だ。ラシャに行ったときは具合が悪いのではないかと疑うほどおとなしかったくせに、一体どうしたのかとツァンクーは手綱を強く引いた。なにか感じるものがあるのか。それともツァンクーの焦りを読み取っているのか？　荒涼とした岩場に吹きすさぶ風が身にしみて、ツァンクーは唇を噛んだ。

どうすると自問する。

彼らが何日も前にここを通ったなら、足跡が消えてしまった可能性もあるかもしれない。草を持っているなら、もう少し先まで歩いて行っているかもしれない。

なにが最善なのか。どこまで行けば確信が持てるのか。

決断できない、とツァンクーは思った。どうすべきかがわからない。手近に見えることはわかるが、はっきりしない道の先に進むのがおそろしいのだ。だからなにもできなくなる。決断ができない。

「ツァンクー！　どうすんだよ」

息が霞んでいる。草原を一息に駆け抜けたせいで手がかじかみ、手綱を摑む感触があやしい。そのうえ薄い空気のせいで息が浅く、動悸もする。これ以上登るには休息が必要だ。でも、時間がない。

口元を拭い、彼は空を仰いだ。

いつの間にか湧き出した雲がセトパハドの峰を押し隠している。風は強まり、空気も湿っているようだ。このままではおそらく雲に巻かれ、危険な状況に陥るだろう。先に進むのは得策ではない。でももしこの先でゲレクタシが助けを待っていたとしたら？　すぐそばに見える岩陰に倒れていたとしたら？

「ツァンクー、聞いてんのか？　大丈夫かよ」

「……待ってくれ」

「時間がないんだよ！　わかってんだろ。早く決めないと」

「少し待ってくれ。考えている」

どうしてチェギ・ルトに生まれついてしまったのだろうと、また彼は思った。彼は無力だった。ガプガワンと同じくらい彼は無力だった。こういうときはいつも、運命を呪ってしまう。チェギ・ルトでなければ彼は自分の資質に合ったふるまいを許されたはずだ。グトのように長い時間をかけて人々の信頼を得ることもできたかもしれない。

しかしツァンクーはチェギ・ルトだった。その名になんの意味もないと知っているのに、彼はチェギ・ルトらしくふるまわなければならない。いつだって思うとおりに身体は動かないし、大事なときに熱は出る。そして今は決断ができない。決断を、行動を誰かにあずけてしまいたいと思う。楽になりたいと思う。どうして押し付けられたものを黙って受け入れなければならないのか？

けれどもいま、ゲレクタシの声が蘇る。

もうだめだと思うことはある。休めば楽になる、手を離せば苦しい思いは終わる、動かなければ死ぬとわかっていても恐怖で動けないこともある。そういう誘惑にたった一人で全部勝たなければならない。でなければラシャには登れないし、それどころか春先にタツェにたどり着くことだってできない。あの幼い日にゲレクタシがまったく手加減をせずにツァンクーに語りかけた言葉が思い出される。

大人げない男だった。

しっかりしろ、と彼は自身を叱咤した。

霧が濃くなっている。雲が山肌を駆け下りてきたのだ。幾ばくもなく風は強まり、氷まじりの嵐が二人を襲うだろう。濡れれば体温が下がり、早晩動けなくなる。彼らの装備は貧弱だ。無理をすべきではない。

足跡がないのはここを通っていないからではないのか。しかしゲレクタシがセトパハドを諦めるだろうか？　それとも今年は途中で引き返し、ツァンクーに会うかもしれないとラシャへ向かったのか？　ティンパチェを通らないルートだったら、すれ違った可能性もある。もし山域に入ってしまったとしても、彼なら危険はないはずだ。指を欠損しているから——いや、欠損しているからこそ危険なのではないか？

「……ろう」

「なんだよ、どっち行くんだよ！」

「一旦戻ってラシャのほうへ行く。足跡がないなら……」

そこで二人は同時に北の方角へ顔を巡らせた。吹きすさぶ風に混ざって聞こえた甲高い音。

空砲。

気づいた瞬間にツァンクーはニマの腹をけり、飛び出していた。世界は霞がかり、風が雪を舞い上げている。

もう一度銃声。そして伝令弾。

音もなく霧の中を白い光が昇っていった。水蒸気の中、色は消え去り、世界は薄い影になっている。

ツァンクーは手綱を握りしめ、光の行方を睨んでいた。村からの知らせであることは間違いがない。

なにかあったときは照明弾を撃て、赤なら怪我人、青なら——

霧が途切れ、世界に色彩が戻ってくる。息を止めて雲から飛び出したツァンクーは、ぐっと手綱を引いてニマの足を止めさせた。

青。


ゲレクタシを見つけたのはツァッパだったそうだ。ドゥジの背骨と呼ばれる高原と森の境目から少し下った谷に、彼の遺体は落ちていた。おそらく足を滑らせたのだろう。

トンサは崖上で荷を負ったまま、おとなしく木の芽を食んでいた。対照的だったのはシャカパだ。犬は遺体に寄り添うように丸くなって、静かに唸っていた。ツァッパの声に反応はしたが、一声吠えて動かなくなったという。触れると、すでに息絶えていた。足が折れていたので先に落ちたのはシャカパだったのかもしれないし、落ちたゲレクタシを守るためにシャカパも飛び降りたのかもしれなかった。真実を知るものは誰もいない。一人と一匹は死んだのだ。

シャカパの折れた足には虫がたかって肉を貪り喰っていた。隣のゲレクタシの遺体にも虫がたかり、腐敗がはじまっている。様子からして死んで数日も経っていないと思われたが、鳥や獣に荒らされた明らかな形跡がないのはシャカパが追い払ったからだろうと牽役の男は言う。あいつ、最後まで吠えやがって。かわいそうなやつだったな。でもこれで良かったんですよ。ゲレクタシと一緒じゃなきゃ生きていたくなかったんだろう。

ツェチュの男達は淡々と働いた。悲しみにくれる前に死体を引き上げ、タツェへ戻ってきた。腐敗した身体は焼いて灰にし、みんなでツェチュへ帰るという。よくあることだと、火の番から戻ってきた牽役の男はぽつりと言った。

「年に一、二回はあるんですよ。落ちたときは息があっても助からねぇやつもいるし、手足を拾い集めなくていいだけ楽なもんです。いつかはこうなると思ってたんですよ。あいつは昔っから無鉄砲で」

今日は村のどこからも笑い声は聞こえない。少し前からふさぎ込んでいるミンヤンも今日は仕事をする気分にはならないようで、機織部屋からは物音一つしなかった。

一夏に二人の死を知るのは悲しいことだ。だがツァンクーの身体は冷えていた。第一報には愕然としたが、その後は感情が消え去ったようになにも思わなかった。身体の半分が潰れたゲレクタシの遺体を見ても、こうなることを知っていたような錯覚をした。

人は死ぬものだ。いつか、必ず。そう言ったのはゲレクタシだった。ツァンクーにとってはシャカパの死のほうがよほど悲しい。あの無愛想な犬が寝ぼけて台所で鼻を鳴らすのではないかと、今もそう思えてならない。

「あいつ、今年が最後だって言ってたしな。もうシャカパの足がだめだって」

「そうか……じゃあもしかしたら見つかんねぇところで死ぬよりもって、先代のルト様が呼んだのかな。あいつのこと、気に入ってくださってたみたいだからなぁ」

ほう、と牽役の男はため息をついて背中を丸めた。さっきからずっと右手に甘酪茶（ガジャ）の椀を持って、口をつけようとしない。飲む気になれないのか、忘れ去っているのかは知らないが、目を赤くしているところを見るとまだ気持ちが落ち着かないのだろう。

「なに焦ってんだか！　秋まで待ってくれりゃいいのに」

「秋？」

「この秋から交易を交代するって約束してたんだ」

「この秋からぁ？　そんな話聞いてねぇぞ」

「ツォンカパはいつもいねぇんだからあたりまえだろ。地図もらったもん」

男の相手をしているのは、ツェチュから来た一番若い少年である。崖下からゲレクタシの遺体を引き上げたのは彼だそうだ。自分の背丈よりも大きな遺体を背に負い、十数メートルもある崖を軽々と登ったとツァッパが驚いた様子で話していた。一緒に谷まで下りたツァッパはシャカパを籠に大切にいれてやり、谷から足で這い上がる別ルートを通ったという。

「おめぇにはまだ早いだろうよ、歩けりゃいいってもんじゃねぇんだぞ。一番大事なのは交渉なんだ、交渉。わかってんのかね」

「そんくらい知ってるよ。だから最初は一緒に行くって約束してたんだ。死んじゃったけどさ」

ドゥクチェン。

ようやく記憶の中からその名を引っ張りだし、ツァンクーはそっと息を吐いた。不満そうに甘酪茶をつぎつぎにあおっている少年はまるでそんなことには気づいていないという顔をしている。

ドゥクチェンの名はよくゲレクタシの口に上った。おまえと同い年のやつで、ドゥクチェンっていうんだけど。その声音をありありと思い出すことができる。ゲレクタシはいつも同じことを言った。あいつはすごいよ、他のやつとは違う。おまえも見ればわかるよ。

「あの難解な地図か」

声がかすれ、ツァンクーはあわてて咳ばらいをした。さいわいドゥクチェンは気づかなかったようで、ぱっと顔を明るくしてツァンクーに向き直った。

「おまえ、見たことある？」

「見た。難解だった」

「ん。でも大事なことは全部書いてるからいいんだよ。見るか？」

屈託のないドゥクチェンの態度に、ツァンクーはまばたきをした。せっかちなたちなのか、見ると答える前からドゥクチェンは懐から地図を引っ張り出している。まだ元気がない牽役の男とは対照的だ。

「まんなかがツェチュで、ここは塩谷。で、ここを道なりに歩いて、春の交易は雪崩に遭いやすいからこの道を通るけど、ここは氷が張ってないと羚鹿が通れないから時期を合わせろって書いてる」

なんで雪が溶けるまで待てないかね、あの馬鹿はと牽役の男は顔をしかめた。しかしドゥクチェンはずい、と身を乗り出し、わかってねぇな、と口ごたえする。

「雪が全部溶けるまで待ったら夏になっちまうだろ。それにこの道が通れなくなる。タツェの春は遅いんだからさ、待ってなんからんねぇよ」

自分では一度もたどったことはないくせに、ドゥクチェンは強い口吻で言い返した。その手元を覗き込み、ツァンクーは息を吐いた。

以前見せてもらったことはあるが、記憶の中よりもびっしりと文字が書きこまれている。かすれた山と谷の絵はただの線だ。けっして上手いものではないし、実情どおりでもない。南西に向かう道が西に向かって引かれていたり、タツェの場所がカギュツ高原のどまんなかだったりする。でもタツェの場所が現実と違うからといってなんの問題があるのか？　難所と思われる場所は大きく書かれており、そのそばに字がびっしりと並ぶ。確かに大事なことは全部書いてあるといっても差支えはなさそうだった。

そして地図の端、ぼろぼろになって文字は薄れているが、はっきりとした文字が書いてある。

ラシャ。

カギュッ高原を渡り、ティンパチェ沿いを登って行くと現れる氷河湖。そびえたつ崖の際を通り抜ける、道とも呼べない細い獣道さえ、彼ははっきりと記している。雪渓や尾根筋をだらだらと登る道もあるが、崖を登攀したあと岩場を少し上れば最短ルートで尾根に出る。その先に深い谷が——

彼のたどった道を、見た景色を、今のツァンクーはありありと思い浮かべることができる。ようやく彼と共に歩くことができるようになったのに、それを伝える前に彼は死んだ。

「ああ？　なんだよ、これ……おい、あのバカ、ラシャに登りやがったのか？　だからこんなことになるんだよ……」

「結構前の話だぞ。すっげぇ自慢してたし、あと登ってないって言い張ってた」

このバカ、と男は天井を仰いで悪罵を飛ばし、ようやく椀の中身をすすった。まるでそこにゲレクタシが見えているようだ。彼のことだからそんなふうに言われても、ひらひらと片手を振るだけだろう。しかしツァンクーはいつものように笑うことができなかった。胸の中になにか熱いものがつかえ、言葉が出ない。

おまえな、と指を胸に突き付けてゲレクタシは言った。いま、地図を支える指も同じような形をしている。岩を掴み、綱を手繰る指だ。皮が厚く、大きな爪は固いのだろう。

おまえのここにはな、シャカパみたいな奴がいる。そっくりだよ。怖がりのくせによく吠えるし、しっぽもふらねぇしさ。そんですぐ噛みつく。おまえもさ、すぐ人に喧嘩腰で言い返すだろ。それはおまえのここにそういうやつがいるからだ。だからみんなおまえのこと嫌いだって言うんだよ。

でもさ、それのなにが悪いんだよ。え？ シャカパをあんなふうにしたのはどっかのバカさ。どこのバカかはわかんねぇけど、バカがいたんだ。シャカパはさ、犬だからそいつが誰かわかんねぇし、人間の見分けもつかねぇだろ。だから誰にだって吠える。でもほんとはさ、そのバカを殺してやりたいんだと思うよ。それのなにが悪いよ。

地図の上に一人と一匹が歩いた道が見えている。ツァンクーは息を深く吸い、また吐いた。ゲレクタシの声が蘇る。ずっと昔のことのはずなのに、つい昨日聞いたように思い出される。

嫌なやつを嫌いになってなにが悪いんだよ、と彼は言った。自分をごまかすんじゃない。そんなことばっかしてると、おまえん中のそいつ、おまえに噛みついて殺すかもしんないぞ。そしたらおまえはきっと、ギュワになる。

「なんちゅうめちゃくちゃな地図だよ。まったく」

「でも役に立つよ。俺、わかる」

ぐ、と胸の奥が詰まったような錯覚をして、ツァンクーは慌てて甘酪茶をあおった。ドゥクチェンは目を輝かせてまだ語っている。まるで自分が全て目にして書いたかのように誇らしげに説明をしている。

ゲレクタシは言っていた。この交易ルートを歩く交易びとは他の交易びととは違う。数えきれないほどの危険があって、行き交う人もいない。物音は危険な獣の可能性だってあるから、常に警戒をしなければならない。怪我をすればそのまま死ぬかもしれないし、調子が悪ければ高山病にもなる。動けなくなれば、死ぬ。それがどれだけ孤独か。どれだけ精神を消耗するか。けれども彼はいつも誇らしげに続けるのだった。

耐えられる人間は、十数年に一人しかいないんだ。森に選ばれて、選ばれた犬を与えられて、そして交易びとになる。交易びとでなくなったら、死ぬ。そんだけだ。死ぬのなんてたいしたことじゃない。森に還るだけだ。

「……ドゥクチェン、甜酪茶はまだいるか」

よどみない調子で語っていたドゥクチェンはぴたりと口を閉じ、目を丸くした。澄んだ丸い目でツァンクーを見ている。

牽役の男も目を丸くしてしげしげとツァンクーを見つめている。その視線を訝(いぶか)って口を開きかけたところで、彼はようやく気づいた。

膝をあたたかく濡らす水が目からあふれだしている。あとから、あとから音を立てて膝の上に落ちている。

風の音が遠い。彼らを苦しめる冬はまだはるか山の上におり、彼女を牽く男を待っている。

「……背中撫でてやんな——ヤダじゃねぇよ。バカが。この間、先代が森に還ったばっかなんだからしょうがねえだろうがよ。おめぇはなんもわかっちゃねぇな、だから子供なんだよ……」

風の音は遠い。

冬を牽く

No Man's Forest

登場人物

ツァンクー	タツェの若き長。
ガプガワン	ツァンクーの父。
パドマ	ツァンクーの母。
ミンヤン	ツァンクーの双子の妹。
グト	ツァンクーの祖母の夫。薬師。
ドゥクチェン	ツェチュの交易びと。
ゲレクタシ	ドゥクチェンの叔父。ドゥクチェンの前の交易びとだったが滑落死した。
リショ	ツェチュの少年。
プゥ	ドゥクチェンの犬
トンサ	ドゥクチェンの羚鹿
ニマ	ツァンクーの羚鹿

地名

タツェ	高地にある村落。賢者の血脈チェギ・ルトによる代表制を敷く。
ツェチュ	村落。タツェと交易がある。
ラシャ	山の名前。「美しい」を意味する。チェギ・ルト襲名儀式の地。
ティンパチェ	「雲が生まれる川」という意味を持つカール谷。
カギュツ高原	森林限界の上に広がる高原。

1

十五年ぶりの大雪だった。

雪の重みで家の軋む音がして眠れなかった、森からは倒木の音がひっきりなしに聞こえ、羚鹿(ユム)達が腹を空かせて昼も夜も鳴いた、降り続ける雪は押し固められ、分厚い氷の層をいくら掘っても地面が見えなかった、羚鹿も人も飢えに苦しんだ冬だった——グトが秋になるたびに語るので、村の子供達はみんなそらで同じ話を繰り返すことができる。ところが今年、この話をするのはグトだけではない。年寄衆もみな口をそろえて言う。十五年前のようだ、と。

語りたがらないのは叔母くらいだろう。

ほとんど記憶にないと彼女はその話題を避けたがった。三人の乳児を抱えていたときのことだから当然といえば当然だろう。グトや祖母でさえ、一晩ぐっすり寝た記憶がないと回想するほどなのだから、まだ十代だった彼女が精神的に追い込まれてしまったのは無理もない。さいわいその年の春に生まれた彼女の実子は健康そのもので、雪下ろしの音にも全く動じなかった。しかし家にはもう二人、乳児がいた。彼女の兄ガプガワンが同じ春に双子を授かっていたのである。出産と同時に双子の母は命を落としたので、叔母は仕方なく乳を分けてやった。厄介な二人だった。一人は貪欲で息子の分まで乳を飲みつくしてしまいそうだったし、もう一人はきわめて病弱で扱いにくかったからだ。
三人の健康な乳児の面倒を見るだけでも大変なのに、昼夜問わずぐずっている乳児ほど手に負えないものはない。特に厄介だったのは病弱な甥だった。乳は少ししか飲まず、無理に飲ませようとすると吐く。そしてすぐに腹を空かせて神経質に泣く。

雪が降り始めて三日、彼女はむしょうに腹が立って、この子らには乳をやらないと主張した。ツァンクーもミンヤンも私の子じゃない。勝手にすればいいじゃないの、どうせ二人ともすぐに死ぬんだから！　彼女は寝室に息子と二人で立てこもり、グトが取りなしても耳に入れようとしなかった。もっとも彼女の抵抗は長く続かなかった。明け方頃、腹が減って仕方がなくなり、台所にこっそり出てきたところを祖母につかまったのだ。わんわんと子供のように声を上げて泣くので手に負えなかったのよ、と祖母はツァンクーにこっそりと教えた。子供を産んでしばらくは火の気が強くなるものなの。おじいちゃんはなんでも言って聞かせられると思ってるけど、どんな理屈だって火の気には勝てないってことをわかってないのよ。

なぜいま、叔母と祖母のことを思い出したのかと足裏をさすりながらツァンクーは思った。彼の膝の間で身体を丸めている幼子は、睫毛を震わせて眠りに落ちかけており、身体を揺すっても反応が鈍い。毛織物をはぎ取ろうとする風は徐々に強さを増し、布の端には白い糸で縫いとったような霜がしがみついていた。視界はゼロに近く、移動など到底できそうにない。この状態で夜を越すのはかなり難しいだろう。

枯れ枝をもう少し立てかけておくべきだった。風を遮ることさえできれば、火を焚いて湯を作れた。あるいは羚鹿の群れの足を止め、同じくぼみで風雪をしのぐべきだったか？　羚鹿の体温があればすくなくとも幼子を凍死させずにすんだはずだ。それとも、多少視界が悪くなっても歩き続けるべきだったか？　村まではそう遠くなかった。無事にたどり着いていたかも――

頭を振り、ツァンクーはまた少年を揺すった。

起きろ。手を動かし続けろ、足の甲や裏もさすれ。指を失くしたいのか？　村に戻るまでは寝るな。しかし何度言い聞かせても、少年の重いまぶたは持ち上がらない。とろとろと眠りに落ちかけてははっと首をはね上げ、そぞろに手をすり合わせる。その繰り返しだ。

死ぬのだろうか、とツァンクーは思った。タツェから遠く離れたこの山道で氷漬けになるのか？　こんなことならドゥクチェンを送っていくなどと言わなければよかった。それともあの大雪が降りはじめたときにはすでに、彼らの術中にはまっていたのだろうか――

「まったくよぉ、一人ですいすい行きやがって、歩いてるこっちの身にもなってみろっての」

ぶつくさ文句を言いながらドゥクチェンが追いついてきたとき、ツァンクーは野営の天幕を張り終えて、水を作っているところだった。羚鹿達は白い息を吐きながら頭を振り、早く荷を下ろせとドゥクチェンを急かしている。普段なら羚鹿を優先させるのだが、今日ばかりはドゥクチェンを優先してツァンクーは沸かしておいた酪塩湯(スジャ)を椀に注いだ。

秋の最後の交易でドゥクチェンがタツェに訪れた日は、めったにないほど暖かかった。晩秋だというのに上着を脱いで出迎えたほどだ。だが数日の間に冬の気配が強まり、当初の出発前日には吹雪が来た。

雪が降ったら、ドゥクチェンを一人で帰すわけにはいかない。カギュッ高原はもちろんのこと、少し下った稜線沿いの道は吹きさらしだ。無理を押せば風雪に命を奪い去られるのは確実だが、だからといって慣れない谷道を荷物をいっぱいに積んだ羚鹿を連れて行けば、身動きの取れない場所に迷い込んでしまうおそれがあった。タツェの使命は無事に交易びとを村に帰すことだ。薬草探しで歩き回っているので、谷道は誰よりも詳しい自負がツァンクーにはあった。冬のはじまりはなにかと忙しく、長であるツァンクーが不在となれば多少の混乱はあるかもしれない。でも毎年のことはうるさい年寄連中に任せておける。谷道のことは誰も口を出せない。ツァンクー以外に適任がいるだろうか？

二人が出発したとき、太陽は山影から顔を出す前だった。あまりにもはやく冬が駆け下りてきたせいで、色とりどりの葉をまとったまま凍りついてしまった木々が薄明と靄の中に浮かび上がっている。梢からは雪氷が花のようにはらはらと舞い落ち、春と秋と冬が同時にやって来たようにも思えた。肌を切る風は日が昇っても緩むことはなく、革の手袋をはめていても手がかじかんで痛い。そのうえ道にはあちこち雪庇が張り出していて、一瞬たりとも気が抜けなかった。

日が昇りはじめるとさらに厄介なことがわかった。太陽の歩調にあわせて雪が徐々に緩み、ドゥクチェンの足を摑んだのだ。山道を歩き慣れているはずの彼が数歩進むだけで息切れをするのだから、ただの晩秋の道ではない。

さいわいなことに、ドゥクチェンは意地を張らなかった。ダメだ。進まない。俺に合わせてたら冬に追いつかれちまう。これなら歩くより崖を上り下りする方が早いから、羚鹿が下りられる最短の道を行こう。荷物を背負ったままじゃ嫌だって駄々こねるようなら、俺がやってやる。とにかくとっとと雪のないところまで下りなきゃ春まで身動きが取れなくなるぞ。

羚鹿に乗ったツァンクーが先行して道を探し、下りれるかと伺いを立てる。たいていドゥクチェンは大丈夫だと言った。俺をなんだと思ってんだ。こんなの子供の遊び場じゃねぇか。先に行って昼寝でもしてろ。

まったくよく働く男だった。

まるで体重などないかのようにするすると岩場を登り、自分の身体よりも大きな荷物を担いで岩場を下りるのは、その見かけに比べてずっときついことに違いないのに、彼は黙々と働いた。そんな男がようやく発した文句だ。なにか精神的な限界に触れたのだろう。

「文句はそれだけか？」

「……ごめん」

「別に責めてるわけでは」

手袋を懐に突っ込んで椀をひったくったドゥクチェンは、顔をしかめて鼻を鳴らした。笑顔より仏頂面のことが多い男ではあるが、どうやら気分を害してしまったらしい。ふん、ともう一度鼻から息を吐き、おまえってさぁ、とドゥクチェンは言った。

「バカなのか」

「ん」

「ま、今のは俺も悪いけどな。お互いさまだな、はいはい、終わり終わり」

「羚鹿のことはやっておくから鍋を頼む」

あいあい、とけだるげに返事をしてドゥクチェンは藁を敷き詰めた天幕の下に吸い込まれて行った。

機嫌が悪くなっても後に引かないのは彼の良いところだ。くしゃみが二回聞こえ、ちくしょう、とドゥクチェンの毒づく声が続いた。

「ああ……いつまで晴れが持つかなぁ……」

「さっき少し見てきたが、ケワの岩を過ぎれば、沢沿いは雪がなかった」

「ケワの岩かぁ。明日はその辺で野営かな。雪が柔らかくてさぁ、かんじきが全然役に立たないんだよ」

「そうか」

「明後日までにはアツィツィの喉道の登り返しを過ぎたいのに……ってことは明日の昼くらいにはケワの岩を過ぎてないとまずくないか？　きついな」

かなり無理をした行程だが、急ぐほかないことは理解しているので、ツァンクーはドゥクチェンに返事をしなかった。ツァンクーは羚鹿に乗っているので、冬から逃げるのは難しくない。しかし、荷を負い、一歩一歩地面を踏みしめるドゥクチェンは同じようにはいかない。無理をすれば疲労が蓄積し、大きな事故につながるだろう。いざとなれば羚鹿の背に乗せて山を下ることもできるが、ドゥクチェンの意識があるうちはその選択ができないこともツァンクーにはわかっていた。

「くっそ、足が……ああ？　うるせぇよ。トンサは平気なんだろ！　知ってるっての、いちいちよぉ！」

「明日も機嫌良く歩いてくれればいいが」

「そこなんだよなぁ」

あぁ、と口を四角に開け、ドゥクチェンは斜め上を仰いだ。

木がはぜる。白い灰が舞い上がるたびに湯気があたりににじみ、薄闇の中に溶ける。手早く夕食を済ませると、ドゥクチェンは懐から六味(ドマ)を取り出してくちゃくちゃと噛みはじめた。六味は身体の末端を温める作用のある木の実だが、神経を昂らせる効用も強いので、ツァンクーは好まない。ドゥクチェンもそのことはよく知っているので、勧めようという素振りすら見せなかった。

二人はしばらく黙って景色を見ていた。日は陰りはじめ、数刻も経たずに山の影が二人の上にのしかかるだろう。太陽が沈めば気温は一段と下がり、あらゆるものを凍らせる冬がじりじりと背中に迫る夜が来る。

「……なぁ、ツァンクーはゲレクタシみたいな死に方はどう思う?」

しらん、と勝手に口が動いた。そんなのは死んだ人間にしかわからないことだ。それに俺の死に方は決まっているから、人の死に方について考えたことはない。誰も巻き込まず、荷もなくさなかったのだから、悪くなかったんじゃないか。

「死に方ねぇ」

「なんだ」

「俺は良くないと思う。いくら交易びとだって、あんな死に方はさ」

「そうか」

「死に時が選べないのはわかってるよ。でも場所くらい選べなくちゃ」

ドゥクチェンの声が物悲しく聞こえたのは、ツァンクーの願望だったのだろうか。

ゲレクタシが足を滑らせ谷に落ちて死んだのは、ツァンクーとドゥクチェンが十二になった歳のことだった。

茸狩りに行ってくると家を出たまま半月も戻らないゲレクタシを探してツェチュの人々が捜索の手伝いを頼みに来たとき、一行の半分は息も絶え絶えだった。無理もない。タツェはツェチュよりも標高がかなり高く、高山病にかからなかったとしても慣れるまでは行動が制限される。そんな中、もっとも若かったドゥクチェンは、一人だけ平然としていた。次の交易びとになるのは彼に違いないと、ツァンクーは一目見たときから思っていたのだった。

「てっきり」

「ん」

「ツェチュの男なら落ちて死ぬのが本望だとか言うのかと思っていた」

「俺がぁ？　あいつじゃねんだからそんなの言うわけないだろ。それにあいつが落ちて死ぬのが本望だったとは思えないね。死んだあとに絶対にグダグダ言ってたと思う。なんで山のてっぺんじゃねぇんだよって」

よっこいせ、と腰を浮かせてドゥクチェンは空になった鍋に雪を入れた。雪が溶け出す前からせっかちに干し肉と根菜を削ぎ入れ、荒っぽく塩と唐辛子を放り込む。仕上げにバターを一固まり鍋に放り込むと、ようやくふうと息を吐いてドゥクチェンはまた腰を落ち着けた。なにをするにも粗雑な男だ。

「あいつ」

「ん」

「ゲレクタシ。あいつ、タツェから帰ってくるといっつもおまえの話するからさ……俺、嫌いだった」

不意に強い口調でドゥクチェンは言い放った。

ツァンクーとドゥクチェンは毎年数度会うだけの関係だが、ドゥクチェンは表情が豊かなので、顔を見ればだいたいなにを考えているかはわかるものだ。先代の交易びとであったゲレクタシほど単純ではないにせよ、あまり心のうちを隠すタイプでもない。

だが、ツァンクーは彼の表情を読み解けなかった。ふてくされているようだが、笑っているようでもある。腹を立てているようだが、呆れているようでもある。

「さみぃ。なんでこんなに寒いんだよ、ちきしょう」

「上着ならもう一枚ある。毛織物も二枚ある」

「んー、じゃぁ全部もらおうかな。なんか疲れたから寝る。交代したくなったら起こしてくれ。その汁は食ってもいいけど、ちょっとくらい残しとけよ。俺の取り分から出してんだからな」

「わかった」

おい、プゥ！　とドゥクチェンは唐突に怒鳴った。羚鹿の影に隠れていた忠実な犬はぴんと耳を立て、そっぽを向いている。おい、とまたドゥクチェンは怒鳴った。こっち来いよ。火があってあったかいぞ。ほら、肉もやるからさぁ！　そんなとこにいてぺっしゃんこになっても知らねぇからな。

ぴすぴすと犬は鼻を鳴らして反抗している。


道中のドゥクチェンはよく寝た。だが、ツァンクーは無理に起こさなかった。ドゥクチェンの働きぶりを見ていれば疲労が蓄積しているのは明らかだったし、美しい森の様子は静かに眺めていられるのは今だけだ。タツェに戻れば雑事に忙殺される日々が戻ってくる。しかしどれだけ身を粉にして働いたとしても、なんの意味もない。十二の夏に彼はそのことを思い知ったのだ。

あの夏は父親を追いかけていた。

前を行くガプガワンはけっして振り返らなかった。わがままを言うニマを御すのにツァンクーがどんなに苦労していても、目もくれずに先へ行ってしまう。

彼がツァンクーを無視するのはいつものことだ。二人の間には長く親子らしい会話はなかった。それに今回ばかりはそんな父親の態度にもいくらか同情の余地がある。二人の向かう場所はラシャだ。そこで代替わりの儀式を行うと、父親のガプガワンは死に、ツァンクーは晴れてチェギ・ルトと認められる。つまりガプガワンが向かうのは死地なのだった。足を止めれば気持ちが萎えてしまうと思っていてもおかしくはない。

けれども何度自分にそう言い聞かせても、横になって野営の焚火の音を聞いていると、きまって胸が詰まって苦しくなった。さみしさからではない。最後の旅の道中ですらツァンクーのことを無視するガプガワンに腹を立てずにはいられなかったのだった。彼は混乱していた。無理に息を吸うと咳が出て、吐こうとすると身体の軋む音がする。歯を食いしばって痛みに耐えていると、ニマが鼻や蹄でツァンクーの背中をつつきはじめる。その相手をしているといくらか気分が紛れたが、苦しさは消えなかった。

二人がティンパチェに到着したのは村を出た翌日だった。

氷河に削られてできた谷ティンパチェは川底が湿地となっている。ゆるく弧を描いた谷底は冬でも水が枯れることはなく、神話では雲の生まれる谷とされている場所だ。夏は谷底を雲が舐めるように走り、鳥達が子供を育てる声が賑やかに響いている。彼らが越冬のために飛び立つと、冬が来る。気温は下がり、雪が谷を覆い、すべてが凍てつく冬になってもティンパチェの谷底を流れる水は枯れない。雲はたえず生まれ、高原を生息地とする動物達が水を求めてティンパチェへ訪れる。奇妙で美しい場所だ。

ティンパチェは二度目だ。

タツェでは冬の間も羚鹿達の腹を満たすため、冬駆けと呼ばれる放牧地の移動が恒例になっている。病弱なツァンクーはその危険な旅に出ることはできなかったが、冬駆けのために作られたティンパチェの風よけ小屋に冬の間だけ滞在することはできる。もちろん簡単なことではない。夜中に咳が止まらなくなるかもしれないし、吹雪で誰も来られない間に発熱すれば死に至るかもしれない。彼とずっと一緒にいるのは、人にも群れにもなじめない痩せっぽちな羚鹿、ニマだけだ。

でも、不思議とあの日々は穏やかだった。吹雪で風よけ小屋がどんなに揺れていても、彼の心は平穏そのものだった。土間に寝そべっているニマの毛を撫でていればなにも怖くなかったし、板間で書を読んでいる間、膝にニマが甘えて顎を乗せてきても苛立ったりしなかった。ツァンクーが耳の下と鼻面を掻いてやると、ニマは陶然と目をうるませておとなしくしていた。やがて風が止み、水を汲むために外に出ると、野生の羚鹿の群れが遠くから鋭い視線を寄越している。彼らの身体から立ち上る蒸気が世界をかすませ、けんけんと吠えるニマの威嚇の声だけが藍白の景色を揺らしていた。

いま、色鮮やかで騒がしい夏のティンパチェはあの冬の朝とは正反対だ。二人が通り過ぎる間、湿地では鳥達が警戒の声を上げ、肉食動物も視線を巡らせて二人の行く先を見定めようとする。谷底からはひっきりなしに雲が湧き、色とりどりの花が咲き乱れる高原から色を奪って森へ滑り落ちていく。雲は川上には用がない。その先は植生限界があり、動植物がほとんど存在しないことをよく知っているからだ。

ティンパチェの風よけ小屋で一泊したあと、さらに標高を上げて川沿いをだらだらと半日ばかり登ると、うっすらと緑がかった氷河湖が現れる。水場はここが最後だ。氷河湖の頭は氷床が押さえつけていて、それより上で水を得るには氷や雪を解かさねばならない。空気は薄く、気温は低く、風が少しでも湿れば体温を奪い去られる。まさしく死の領域に近づくのである。

氷河湖には目もくれず、ガプガワンは並足で駆けて行ってしまった。仕方なくニマに水を飲ませ、ガプガワンとガプガワンの羚鹿の分まで水を汲んで追いかける。

彼の限界は近かった。少し歩くだけでも息が切れ、ニマに乗っていると心臓が破れそうになる。いつもはなにかと反抗するニマが従順に指示に従うところからしてすでにおかしい。

氷河湖からさらに登り、植生限界に達したところでツァンクーはついにニマの足を止めた。次の一歩を踏み出す勇気が出なかった。気持ちを落ち着かせるため背後を振り返る。眼下には森林限界の境界線が高原を縁取る刺繍のように見えている。ティンパチェで生まれた雲達は、谷の水を奪い合う植物を撫でながら森を下っている。数えきれないほどの動植物が存在するはずの森だが、高いところから見下ろすとまるで一つの生物のようにも思われた。彼は深く息を吸い、ニマの腹を蹴った。

稜線を越え、谷を下り、再度尾根を登る。土色の背の低い藪や苔が地面にしがみついて版図を少しでも広げようとせめぎあっているさまは、森林限界の潔さとは異なった生命のしぶとさを感じさせる。あたりに転がる岩は角がするどく、足を乗せると崩れるだけだ。土の育たないこの場所では、風化するか割られるかのどちらかでしか物は形を変えられないらしい。灰色と白の殺風景な景色になにかを試されているような錯覚さえする。早く通り過ぎたいという焦りをおさえて慎重に足を進め、稜線を越えた時、ツァンクーは思わずニマの手綱を引いた。

ラシャがあった。

少し下ったところを縁として、鍋状に地面が抉れている。ほとんど垂直な崖は底へ行くにしたがって徐々に傾斜が緩くなり、はるか下は白くかすんでよく見えない。

うっすらと漂う靄の中から、ラシャは顔を出していた。

ニマの背に乗ったまま、ツァンクーはしばらく山容を眺めていた。ラシャに達するまでに見てきた景色は、人の限界の場所という印象だった。鍋状に抉れた谷も奇妙だが、ここまではまだ自然の息吹は感じられる。崖はごつごつとした岩が突き出して、羚鹿なら難なく下りて行くことができるだろう。突き出した岩の上には小石や砂が散らばり、落石や風化の後も見られる。底のほうには植物の影もあり、道中で見かけた風景を彷彿とさせる。

しかし山はそれらの風景とはまったく様相が異なっていた。やすりかなにかで磨いたようにまっすぐな稜線はどこから見ても同じ傾斜角で、てっぺんはきれいな水平になっている。遠くから見ても奇妙な山だが、近くで見るとさらに異様だった。不安すら覚えるほどだ。話には何度も聞いていたはずなのに、その山容に気圧されて、ツァンクーはしばらく茫然と頂きを仰いでいた。

神話にはこうある。

その昔、昼の神が長く空に火を灯す仕事をなまけたため、森は死にかけていた。窮状を訴えるために昼の神に拝謁した賢者は空に火を灯す仕事を下賜され、ラシャの天頂から空に火を灯したという。

当時のラシャはセトパハドに次いで背が高く、森の民が到達できるもっとも空に近い場所であったからだ。もちろん登るのは簡単ではない。世界を明るくする火を空に灯すのだって、常人にできることではなかった。火は賢者の身を苛んだが、彼は同胞のために毎日山に登り、火を灯し続けた。

この献身をどうして敬わずにいられようか。だが、安寧は長く続かなかった。森の民の尊敬を集める賢者に嫉妬した昼の神が、賢者を焼き殺そうとしたのだ。理不尽への怒りから賢者はギュワとなり、昼の神を飲み込んでラシャの山体を崩壊させたとされている。この奇妙な景色が人の口に神話を語らせたのは、道理千万であった。

谷底に下りるのは一日半かかった。先に途中まで下りていたガプガワンが、一枚岩の上で焚火をして身体を横たえていたが、追いついたのは夜もとっぷり更けてからだった。

ニマは思いのほかおとなしかった。あたりが暗くなっても怖がらず、ぽつんと見える橙色の焚き火に向かって、ツァンクーの指示を待たずに下っていく。どうにかたどり着いたあとは少しの木の実と藁を欲しがっただけで、わがままの一つも言わなかった。身体を横たえてすでに寝入っているがプガワンの斜向かいで、ツァンクーは言いようのない不安に襲われてニマの鼻面をずっと抱いていた。あたたかいニマの身体にもたれかかっていなければ、きっとラシャの景色に圧倒されて、理性を失っていただろう。

ラシャは生命の領域ではなかった。うなる風が脇をかすめて通り過ぎる以外、なにもない。無だ。

朝になって、ツァンクーは父親に矢継ぎ早に訊ねた。旅に出て初めての会話だった。どうやって登るのか？　羚鹿は連れて行くのか。何日かかるのか。道が見えない――

「なにもいらない」

なにもいらない、とつぶやいてツァンクーは固く焼きしめた麦麹(バレ)を歯で削った。

いま思い出してみるとガプガワンが切って捨てるようにあの言葉を吐いたのは、仕方がなかったのかもしれない。ラシャについて理解するのは難しい。糸口を摑む手段さえ思いつかない。けれども十二の不安を抱えた子供にかける言葉は、本当にそれしかなかったのだろうか。

静かな夜の森にいても、あの時のような不安な気持ちにはならない。近くにはいびきをかくドゥクチェンがいるし、森からは鳥や獣の気配がする。赤や黄色に染まった森の木々と、その色を消すようにはらはらと降る雪。警戒を解くことはできないが、ここは生命の領域だ。だから不安はない。

ツェチュの村へ着いたのは、タツェを出発して五日後であった。

「ばあちゃん、足元気をつけろよ！　だいじょうぶかぁ？　まったく、荷物は俺がやるって言ってんだからおとなしく座っときゃいいのに」

うるさいね、と老婆はドゥクチェンに言い返した。

プゥの吠え声で騒ぎ出した犬達にいち早く気づいたのが、この老婆であったようだ。村の入口で待っていた老婆は白く濁った眼をぎょろりとひからせ、ツァンクーを睨んだ。ツァンクーが戸惑ってニマから降りるやいなや、うちの孫が世話をかけてすまないね、と山々に反響するほどの大きな声で叫んだのだった。

ドゥクチェンがしおらしく、いつもあんな調子でさ、と耳打ちしたのでツァンクーは吹き出さないようにこらえるので精いっぱいだった。耳が悪くてさ、あれくらい大きな声出さねぇと自分の声も聞こえないんだってよ。おかげでどこにいてもわかるけど、まいっちゃうよ。

「ガウェ！　湯は用意できそうかい？　そうだよ、あんたの弟だよ。やぁっと帰ってきた。心配しなくても足はちゃんとついてるよ！　もう二本生えてもおかしくないね！　ついでにルト様もいらしてねぇ！」

一方的にまくしたてた老婆は深く腰を折った姿勢で、うん、と唸って動かなくなってしまった。ツァンクーが声をかけようと身をかがめるより早く、彼女はいまいましそうに舌打ちをしてドゥクチェンを人差し指で呼んだ。

「ドゥクチェン！　紐解いてくれないかね！　ばあちゃん、また目が悪くなっちまってね、よく見えないんだよ！」

あいあい、とため息混じりにこたえたドゥクチェンである。笑っているツァンクーに肘鉄をくらわせる余裕はあるくせに、祖母には逆らえないらしい。

　土間に屈みこんだドゥクチェンの向こう、奥が見えないようにかかったすだれから不意に魚の腹のような白い手がにょきりと生えた。肩からせり出すように瓜実顔の女が出てくる。

「あらまあ」

　たれ目がちの細い目をしたふくよかな女であった。目はどちらも鼻から遠く離れ、眉毛がぽそぽそと平らな額に張り付いている素朴な顔立ちなうえに、白い肌のせいでまるで赤ん坊のようにも見える。

　ツァンクーに頭を下げた女は身体を揺すりながらすだれをくぐった。腕にはしかめっ面をした赤子を抱えている。

「こんにちわぁ。どちらさま？」

「ツァンクーだよ。タツェの、えっと、チェギ・ルトの」

「あら……たいへん、どうしてルト様が……」

「やぁ、タツェはもう雪が降っててさぁ、心配だとかなんとか言ってついて来やがって、だから、そんで、えっと――」

「あらまあ」

　たいへん、たいへんと繰り返した女はそぞろに辺りを見回した。ようやく老婆の靴をぬがせたドゥクチェンは、まだ土間に跪いて彼女を見上げている。タツェでは見たことのない幼い表情だ。家に戻ってくると素が出るらしい。

外から羚鹿の声が聞こえる。荷を下ろせと口々に要求をしている。ひときわ甲高い声で吼えているのがニマだ。神経質なあの羚鹿は道中、荷負の羚鹿と喧嘩の一つもしなかった。おそらくかなり我慢を重ねているに違いない。そろそろ甘やかしてやらなければ帰り道に不満を爆発させるかもしれなかった。今日のところはとりあえずたっぷり水と餌をやって、一晩ここで過ごすことを説明し、明日は手厚く甘やかしてやらねばなるまい。

「俺はニマを……」

「だぁめだよ。客はつべこべ言わないで黙ってそこに座ってろ。ニマはは羚鹿小屋にぶちこんでなんか食わせときゃいいだろ。おまえはいちいちうっさいんだよ」

威勢のいい声でツァンクーを遮ったドゥクチェンは、勢い余ったか脱いだ上着を上がり框に放りつけて鼻から息を吐いた。一言余計だったので、老婆に柄杓で脛を叩かれている。

「ドゥクチェン、ちょっとプンサム抱いててちょうだい。今寝たところだから」

「ぼさっとしてないでドゥクチェンはシェアム呼んどいで！」

「ちょっとさぁ、そんないっぺんに言うなよ。俺だって今着いたばっかりなんだぞ。湯くらいつかわせろってんだ」

「湯をつかってからでかまやしないよ。でもこれから夕飯をお出ししなきゃいけないんだからね、ガウェ一人じゃ荷が重いだろう。あんたは相変わらず気がつかないねぇ！」

「あいあい、どうせ俺は――」

投げやりにドゥクチェンが返事をした時、赤子が突然きゅっと顔を皺だらけにして口を大きく開いた。土間に眠る暗闇にその口から飛び出た声がわっと飛び散り、火のように燃え上がった錯覚をする。赤子はドゥクチェンの手から逃れるようにぐう、と背をそらし、小さな手を空につき出した。よだれのせいか、頬に赤い斑模様ができている。

のけぞったドゥクチェンから女は素早い動きで赤子を取り上げた。たいへん、たいへんと困ったようにつぶやいた彼女だが、子供を揺らす仕草は堂に入っている。ドゥクチェンは役に立たないと心得ているらしい。

「すみませんねぇ、昨日から妙に火の気が強くて。あ、そうそう、ドゥクチェン、リショはどこ？　あの子をルト様にお見せしないと……」

「リショ？　なんで？」

「交易びとになりたいってずうっと言ってるじゃないのよ。素質を見ていただいて……」

「素質ぅ？　んなもん、見りゃわかるだろ」子供のように口を尖らせて、ドゥクチェンはまた声を荒げた。声が裏返ったが、口調はかつてのゲレクタシそっくりだ。「あいつは脚がダメだ。だいたいなんで俺がリショの居場所なんて知ってんだよ、さっき帰ってきたとこって言ってんだろ」

「途中で会わなかったの？　あの子、あんたに会うかもって今朝も仔羚鹿を荷馴らしにつれて行ったんだけど……」

2

「いつもとは違う道を通ったんだよ。峠道じゃなくて谷道……そのほうが早く下りれるんだって。うるせぇな、危なくなんかねぇよ！　言っただろ、タツェにはもう冬が来てたって。とにかく、いつもと違う道を通ったからすれ違ってない。でも仔羚鹿の荷馴らしならそんな遠くまで行かないよな。夕飯の前には戻ってくるんじゃねぇの」

ドゥクチェンの言葉を思い出してツァンクーは鼻を鳴らした。

夏であればツァンクーも口を出さなかった。羚鹿は帰巣本能が強いので、帰り道は覚えている。慣れない荷に暴れて谷に落ちたなら話は別だが、多少の嵐なら平気な顔をして戻ってくるはずだ。そういう性質だから、森の民に荷負の家畜として重宝されているのである。

けれども今は冬が彼らの背後に迫っていた。それも予想のつかない冬だ。タツェに十五年ぶりの大雪を降らせ、秋の森をそのまま氷漬けにするおそろしい冬だ。そんな冬がたわむれに息を吐けば、森の民は簡単に死んでしまうし、冬を越えたことのない仔羚鹿達はおろおろするに決まっている。弱い個体であれば凍死する危険もあるし、一頭が崖から落ちればつられて身投げするものも出るだろう。冬は森に生きるものが立ち向かえる神ではない。

ツァンクーが村を出るまで、ドゥクチェンはあの手この手で引き留めようと必死だった。大げさにすることじゃない。すぐに帰ってくる。いつものことだ。それにここの冬はタツェほどは厳しくない。心配しなくていい。この天気なら塩谷からも戻ってくるし、一人ぼっちにゃなんねぇよ。大丈夫だって。

なにかあってからでは取り返しがつかない。ツァンクーが言い返すと、めずらしくドゥクチェンはもごもごと口の中で反論しておとなしくなった。冬の怖さは今回で彼も身にしみたはずだ。ほんの数時間前まで気配に怯えながら険しい道を必死で下っていたのだから当然だろう。ツェチュでは雪はまだとのことだったが、小峰を一つ越えれば景色はすでに灰色になっている。冬が下りてくるのは時間の問題だ。

同じ森の中の高地とはいえ、ツェチュ付近の景観はタツェとは全く違っている。生い茂る木々の梢は絡み合い、空の色を確かめることもできない。空気にはまだ緩みがあり、ドゥクチェンがツァンクーを引き留めたのも理解できる。でもニマに乗っていてもなお、寒さは腹の底を打った。山の上から灰色に成長した重い雲が雪崩のように下りてきているのも視認できる。いつ雪が降ってきてもおかしくない。空気の湿り具合と匂いから見るに、嵐も近いだろう。早くリショを見つけなければ――

ツァンクーが柄にもなく焦りはじめた頃、ガラガラと無遠慮な音を立てる鈴の音が斜面の上から聞こえた。

ニマの腹を蹴り、一気に斜面を駆け上がる。ガスのかかった尾根道は視界が悪く、ニマは先に進むのを嫌がって頭を激しく上下に振った。

そこに犬が飛び出してきた。霞から出てきた犬は赤毛にきらきらとしずくをまとわせてツァンクーを一瞥するも、興味がなさそうにとことこと坂を下って行ってしまった。続いてやって来た斑(ぶち)の足の長い犬は愛想半分にしっぽを振って様子をうかがっていたが、ニマが足を踏み鳴らすとさっと身をひるがえして逃げて行った。その姿を見送ってふたたび白い靄に視線を戻すと、ガスの中から長い鼻面がにゅっと出てくる。

すらりとした足の長い仔羚鹿だ。目の前に大人の羚鹿がいるとは思わなかったのか、仔羚鹿は後ずさって頭を上下に振った。短い角には縄が引っかかっていて、荷負の羚鹿であると示している。

ほどなくしてリショはわめきながら走ってきた。しかしツァンクーの姿に気づくと、ひゅっと息を吸っておとなしくなってしまう。大人がいるとは思わなかった。そんな顔をしている。

怪訝な表情のリショから警戒心は読み取れない。手短に迎えに来たことを説明してやるが、反応はいまいちだ。ドゥクチェンの名前を出すとぱっと表情を明るくしたが、冬が下りてきていることの危険性までは理解できていないように見受けられる。秋の終わりにしては薄い上着、帯と膝が見えるほどつんつるてんの着物、首巻きはしていないし、手袋も帽子もない。鼻の頭が真っ赤になっているのに、当人は元気に鼻をすするだけであまり気にしていないらしい。ツァンクーが頭から毛織物をかぶせ、ぐるぐると身体に巻きつけてやってもきょとんとしている。

この様子ではニマに乗せるのは難しいだろうとツァンクーは判断した。仕方がないので仔羚鹿の先導をニマに任せ、手を引いて山道を下る。頭を振りながら歩いているニマはかなりのペースで歩いているが、後ろについて行く仔羚鹿達はおとなしいものだ。時々道端のものに興味を引かれて列を乱す不届きもいないことはないが、後続の羚鹿に追い抜かれると闘争心が湧くのかまた列に戻る。本当は押して列に戻さなくちゃいけないんだ、とリショは言いわけじみた声で言った。おじさんの羚鹿、なんであんなに足が速いの？　追いつけないよ。

「ニマは人に歩調を合わせたりはしないからな」

「なんで？」

「羚鹿だからだ」

そんなことないもん、とリショはツァンクーの手を引っ張って声を張り上げた。飛び跳ねる元気はあるくせに、前には一向に進まない。ドゥクチェンが「脚がダメだ」と断じていたのを思い出して、ツァンクーは納得した。タツェの同じくらいの年齢の子供だって羚鹿のあとを遅れずについて行くことくらいはできる。後続の羚鹿にどんどん追い抜かれて息切れまでしているのでは、健脚とは言いがたいだろう。

山から吹き下ろす風の温度がまた少し下がった。息を大きく吸うと肺がぶるぶると震え、咳き込みそうになる。あまりにもリショの足が遅いので、ツァンクーは次第に不安になった。すでに天気は崩れ、靄は白から灰色に変わりつつある。視界の悪い森の中を気味の悪い音を立てて風は縦横無尽に走り回り、衣服を剥ぎ取ろうとひっきりなしに襲いかかってくる。気温は急激に下がり、ぱらぱらと服に氷の当たる音がする。

このままではまずいのではないか？

一歩進むほどに状況は悪くなる。道端に風よけになりそうな岩が見えているうちに覚悟を決めなければならない。

毎年冬が近づくと、タツェの大人達は必ず口を酸っぱくして子供に言い聞かせる。たとえあと数歩の距離でも視界を奪われたらたどり着けない。慣れた村の中でさえ遭難することがあるから、吹雪のときは絶対に外に出るな。

今の状況が最悪の一歩手前なのか、それとももう少し無理ができるのか。徐々に強くなっていく風雪の中では危険に対する嗅覚が鈍ってしまい判断ができない。安全を考えるなら、足を止め、嵐をしのぐことを考えたほうがいい。

リショ、とツァンクーは呼んだ。あの岩が見えるか？　すぐそばに木が立っていて雨を避けられるし、枯れ枝を拾って岩に立てかければ風をしのげるはずだ。この風がいつまで続くかわからないが、一旦あそこに避難しよう。羚羆は俺達がいなくても村に帰れる。もし俺達が戻ってこなければみんなが探してくれる。わかったか？

リショはまだきょとんとしている。わかったぁと気の抜けた返事はしたが事態を飲み込めていないらしかった。

風雪の強さはまだ命の危険を感じるほどではないが、衣服が濡れているのは気になる。気温が下がれば一気に身体が冷え、体力を奪われるかもしれなかった。岩かげの枯れ葉が吹き溜まっているあたりに枯れ枝を集めて立て掛け、地面に鞍を敷く。その短い間にも気温はぐんと下がり、風は目に見えて白く変わった。こんなことならニマから降りたときに、鞍以外の荷物も少し請け負っておくべきだったと後悔する。天幕の一枚でもあれば、火が焚ける程度には風を遮れたはずだ。服を乾かすことは無理でも、湯を沸かし、腹を満たすことはできたかもしれない。判断が甘かったと言わざるを得ない。

ツァンクーが猟銃を地面に置き、鞍の上に腰を下ろすと、リショは断りもせずに膝に這い上ってきた。森の民の子供は大人の膝の間を自分の座る場所だと思っている節があるが、見知らぬ相手には遠慮があるものだ。ずいぶん肝が座っている、とツァンクーは苦笑いした。

「食ってろ」

リショの口に塊酪(チェゴ)を押し込んで、ほかになにかないかと彼は懐をまさぐった。薬袋、ぬるくなった甜酪茶(ガジャ)が半分ほど入っている水筒、唐辛子、羚鹿のバター、塩、砂糖漬け、懐紙、椀、塗り薬、薬莢と火薬——二人ぶんの体温のおかげで寒さは我慢できるが、物資はあまりにも貧弱だ。視線を上げると、すでに数歩前にあるはずの峠道が見えなくなっている。

リショを包み込めるよう上着の袖から腕を抜き、さらに首巻きを広げて頭からかぶる。手袋をはずして中が湿っていないことを確認し、ツァンクーはそれをリショの手にはめてやった。寒いか、と訊くとリショは口を結んだまま首を横に振った。

「ぬるいが甜酪茶が少しある。唐辛子もあるからあとでかじっておけ」

「辛いのやだ」

「嫌なのはわかるが、身体を温めなければ」

うん、とリショは頷いておとなしくなった。頬をふくらませて塊酪を懸命に噛む彼の頬はほんのりと赤みがかっている。しかし靴下に手を突っ込んで足指を確認すると、冷え切っていた。秋用の薄い上着は袖口が黒く汚れ、湿って重い。あまり良くない状況だ。

「なぜこんな薄着で出てきた。母さんになにも言われなかったのか」

「リショ、お母さんいない」

「そうか。俺と同じだな」

「おじさんも？」

ツァンクーの袖口に鼻水をなすりつけながら、リショはつぶらな瞳をツァンクーに向けた。頬と鼻が真っ赤になっている。

「お母さんが死んじゃったの、リショのせいなんだよ」

「なに？」

「お父さんが言ってた。おれ、お父さん嫌い。ドゥクチェンみたいにお父さんがいなかったら良かったのにな」

この季節に薄い上着に穴の開いた靴下で手袋も帽子もなし——リショが特別目をかけられている子供でないのは明らかだが、手足の爪はきちんと切られているし、着物の中のシャツは白く清潔だ。肌や髪も手入れされており、一通りの世話は受けているようだった。タツェがそうであるように、小さな村では実の親以外も分け隔てなく子供の面倒を見る。リショの警戒心のなさや、断りなく膝にのぼってくるところは、不特定多数の大人がかわるがわる彼の面倒を見てやっていることの証左とも言えよう。でもたった六歳の子供が父親のことをはっきりと嫌いだというのは、なにか大きな問題が横たわっているのではないか？　あっけらかんとした口調だが、自分のせいで母が死んだと断言するのも奇妙だ。

「おじさんは怒んないの？」

「なにがだ」

「お父さんのこと、嫌いって言っちゃいけないって」

「俺は——俺も父親とは仲が悪かったからな。親子でも気が合わないことはあると祖父によく慰められた」

慎重に言葉を選びながらツァンクーは懐紙でリショの鼻を拭ってやった。ついでに目やにを取ってやろうと額を押さえると、リショは頭をそらして逃げようとする。そういえば子供の頃は目元をこすられるのがなによりも嫌だった、とツァンクーは思った。でもグトの膝に座ると必ず熱を測られ、目やにを拭われ、鼻をかまされ、薬を飲まされ――それがグトの愛情だったことは知っているが、いつもツァンクーはふてくされていたのだった。

ツァンクーが逃げると、きまってグトは、おじいちゃんの膝は嫌かね、と笑いながら訊いた。パサンにはワンジの膝があるし、ミンヤンにはガプガワンの膝がある。ツァンクーにはおじいちゃんの膝だ。ほら、みんな同じだろう。だから喧嘩をすることはないんだよ。

しかしツァンクーは納得しなかった。ワンジはパサンの父親だ。だからパサンが膝の権利を主張するのは当然だ。でもガプガワンは違う。ガプガワンはミンヤンとツァンクーの父親であり、二人にはどちらも膝の権利があるはずだった。なぜミンヤンだけが独り占めできるのか？　ツァンクーが鋭く指摘をすると、グトはもにょもにょと口の中でなにか言ったあと、ため息をついてツァンクーを諭したものだ。親子でも気が合わないことがある。ガプガワンも先代とうまくやれんでな、よく泣いたり怒ったりしとったが、世の中にはどうにもしようがないことがある。おじいちゃんの膝で我慢してくれんかね。

どうしてだ、とあのときもツァンクーは言った。

うまくやろうとしないのはガプガワンだ。もっと小さかった頃、ツァンクーとミンヤンはしょっちゅう膝の取り合いをした。でもガプガワンはいつもミンヤンを抱き上げ、虫を払うようにツァンクーを追い出して何食わぬ顔をしていた。拒絶されるたびにツァンクーは泣いた。祖母に助けを求めに行ったこともあるし、飛んできたグトの胸で涙をこぼさないように息を止めていたこともある。

グトはどうしてだろうねぇ、とため息をついて答えた。おじいちゃんはチェギ・ルトではないからわからないんだよ。すまないね。

今となってみればなぜ躍起になってガプガワンを求めたのかわからない。ラシャに行く前、彼の世界はタツェだけだった。けれども世界はもっと広いことを彼は知ったのだった。知ってしまえば、元のままではいられない。

「おれねぇ」突然リショが甲高い声を出したので、ツァンクーははっとした。ツァンクーの片方の手袋に両手を突っ込んでいるリショは前歯の抜けた歯を見せて笑っている。「あのね、交易びとになるんだよ！」

きれいに並んだ奥の乳歯が見えるほど、リショは大きく口を開いて宣言した。年齢の割に身体が小さいように思うが、栄養状態は悪くなさそうだ。

「森にもお願いしたらなんにでもなれるよっておばあちゃんが言ってたんだ。はやくなれないかな」

そうか、とツァンクーは相槌を打った。森にそんな力はないと断じることは簡単だが、口がすんでのところで思いとどまった。

風が強さを増している。


幼い頃からツァンクーは神話を信じていなかった。村にあまた残された書物には残らず目を通したし、村の中ではだれよりも神話に通じているという自負はあるが、だからといってその話が真実だとは思っていなかった。人間は雲には乗れない。羚鹿に大きな角はないし、狼と羚鹿は話をしない。羚鹿には羚鹿の言語があり、狼には狼の言語がある。もし羚鹿と狼の言葉が通じ合うのであれば、人間と羚鹿だって話ができるはずだ。しかし実際はそうではなかった。さらにいえば「森に還る」という言葉もツァンクーは怪しんでいた。死は死だ。ほかのなにものでもない。死んだら消え、二度と還ってくることはない。もし生死の環を巡りふたたび森の民へ戻ることができるなら、それを話す者が必ずいるはずだ。けれども神話のどこを探してもそんな話は残っていなかったし、村でも、交易びとからも耳にすることはなかった。確かめられないものは存在しないのと同じだ。

でもラシャから目を背けることはできない。ラシャは実在だからだ。

十二の彼はラシャの山容に気圧されていた。窪地の底に到達した彼を待っていたのは、巨大な門であった。山肌には門があったのだ。大きな扉と言ってもいいかもしれない。材質はわからない。金属のようだったが、触れても冷たさは感じなかったし、人間の背丈どころか羚鹿の肩高の数倍もある。前に立つと空気の抜ける音がして左右に開き、彼らは招き入れられた。

彼は不安でいっぱいだった。ガプガワンがなにも言わずに羚鹿から降りたので従ったが、手のひらは汗ばみ、息が浅くなっていた。ほんの少しでも説明があれば、と彼は恨みがましく思った。この後なにが起こるのか？　彼はなにをすれば良いのか？　たった一言か二言を欲することさえ贅沢だというのか？

中の地面は平らに均されており、砂が吹き込んだような跡もない。暗闇が吐く息は冷たい。

カツン、とガプガワンのブーツのかかとが音を立てる。その音が思いのほか響いたのでツァンクーは首をすくめた。靴音が反響する音からして奥に広い空間があるようだ。洞窟か？　しかし壁は真っ平で、一律の傾斜角がついている。ちょうどラシャを成す山肌と同じ角度だ。壁には太い木の根のようなものが這っているが、直線と直角でできていていかにも奇妙だった。

ガプガワンのブーツの音は遠ざかっている。

背後でニマが身体を震わせる音がしたが、ツァンクーは息を吸って父親の背中を追いかけた。彼は行かなければならなかった。

鼻から吐く息が白い。底冷えがする。

ニマに呼ばれるたびに振り返りつつ歩みを進めると、前にガプガワンの影が見えた。こぶしを袖口に突っ込んで少し背中を丸めている彼は、身体から白い湯気が立ち上らせている。光が彼の輪郭を浮かび上がらせている。上着の毛羽立ち、肩についた埃、分厚い服越しにもわかる立派な体躯——昔から風邪一つ引いたことがないというガプガワンと自分を比べるたびに、ツァンクーは腹を立てる。しかし今は異様な空間にいるせいか、あまり気にならなかった。いつもなら喉の奥で言いわけばかりする言葉もすんなりと飛び出してきて、ここでなにをするのかと口が動く。誰かが来るのか。それとも道具が必要なのか——

息が漏れる。白い息のせいで視界がかすんだが、地面の光はその湯気程度では揺らがなかった。言いかけた言葉を飲み込んで、ツァンクーは深く息を吸った。

ガプガワンは空を仰いでいた。正確に言えば光のやってくる方角を眺めていたらしかった。彼らの足元には白い正円がくっきりと描かれている。視線を上げ、顎をそらし、光を追う。逃げ遅れた暗闇がつるつるとした岩肌に陰影を作っている。それにしてもいくら光を追っても穴が見えない。穴ははるか彼方にある。

違う、とツァンクーは思った。穴が遠いのではない。彼らが深い穴の底にいるのだ。門をくぐってから平らな道を歩いてきたつもりだったが、いつの間にか下っていたのか？

「わたしは」

突然のガプガワンの声にツァンクーは飛び上がった。

ガプガワンはツァンクーを見下ろしていた。口元にうっすらと笑みを浮かべ、柔和でありながらもツァンクーになにも読み取らせまいという意思を感じさせるあの表情だ。ガプガワンがツァンクーに話しかけるときはいつもそうだった。腹を立てたり、呆れたり、理性を失って怒りをあらわにしたり、あるいは抑えられない笑みを浮かべていたことはない。そういう表情はすべて双子の妹ミンヤンにしか向けられていなかった。

「あちらへ行く」

どこか焦点の合っていない目を水平に動かして、ガプガワンは右を指した。

「…………」

「おまえは左に行きなさい」

ガプガワンの指す方を見れば、また門がある。入口の扉に比べれば小さいが、同じようなつくりをしているようだ。門は既に開いているが、奥は見えない。

「まっすぐにつきあたりまで行けば誰かいる。足跡がついているから迷わないだろう」

なにか答えなければ、とツァンクーは思った。ガプガワンから言葉をかけてもらうのは滅多にないことだ。それにここで行く道が分かれるのなら、もう二度と会うことはない。代替わりの儀式では息子がチェギ・ルトになると父親は死ぬ。村ではそう言い伝えられている。ギュワとなった賢者の首はその子供達が刎ねた。その呪いが連綿と受け継がれているから、息子は父親を殺し、村の長となる。

いま、彼は混乱していた。ラシャ内部の巨大な洞窟の様子に意識をすっかり奪われていた。彼は知りたかった。しかし今は知を探求すべき時ではない。別れの言葉を、あるいは恨み言を、なんでもい い。ガプガワンを喜ばせるにしても、傷つけるにしても、今しかない。もちろん無関心だったことを責めないという選択肢もある。次のチェギ・ルトとして立派に彼を見送るのだって一つの選択肢だ。

でも、言葉が出てこない。

「はやく行きなさい」

どう表現すれば良いかわからない心持ちになることなどめったにない。あったとしてもいつも癇癪でごまかしてきた。しかし今はその選択が間違いであることをツァンクーはわかっていた。彼は大人にならなければならなかった。父を見送り、村の長としての顔を身に着けて帰らなければならなかった。癇癪を起こすのは子供の仕事だ。彼はもう子供ではないのだった。

「……父さんの……」
「なんだ」
「羚鹿は、どうする」
「ああ……」

目が覚めたようにガプガワンはゆったりとまばたきをして背後を振り返った。大きく開いた門から白い光があふれだし、あたたかい日常が待っている予感がした。扉の前で待っているであろう羚鹿達の影は見えない。少しでも異変があれば身をひるがえして逃げられるよう、きっと遠巻きに中の様子をうかがっているだろう。羚鹿とはそういう動物だ。人と共に生きることを選んでも、人のために犠牲になろうとはしない。彼らには彼らの社会があり、人はその外にいる。騎手の死は悲しむかもしれないが、だからといって一緒に殉じようとは考えない。バカなことを訊いてしまった。

「戻るのを嫌がったりしないとは思うが……あれは全部わかっているだろうから、好きにさせてやりなさい。さあ、あまりぐずぐずしていると帰りが遅くなってみんなが心配する。はやく行きなさい」

口を曲げてツァンクーは踵を返した。最後の最後までツァンクーに父親らしさを見せまいとするガプガワンの強情さに呆れ果てたと言っても良かった。

彼がツァンクーに興味がないのはわかっている。ガプガワンでなくても、代わりになってくれる人はたくさんいるから構わない。でも村や、あるいはミンヤンに対しては、一言あっても良いのではないか。それともツァンクーには伝言すら任せたくないというのか?

「ツァンクー」

ガプガワンはまたあの表情をしている。とらえどころのない笑み。目の焦点はツァンクーを素通りしてどこか遠くを見ている。わかっているのに声をかけられると振り返ってしまう。今度こそと期待して——

「あたたかくして帰りなさい。身体に気をつけるんだよ」

その瞬間、頭の中で閃光がはじけた。ぐらぐらと地面が揺れたような錯覚さえした。

今さらなんだ、と彼は反射的に思った。取ってつけた言葉でツァンクーが今までのことをすべて水に流すとでも思ったのか?

悔恨を残したまま死にたくないのなら、もっと前からできることはあったはずだ。彼は自分の行く末を知っており、その時に息子がどんな気持ちで自分を見送るのかも知っている。だというのに昨晩はツァンクーを無視し、ここに着いてからだって説明の一つもしなかった。ラシャに入る前だっていくらでも時間はあったはずだ。村にいる間は忙しいという言いわけが通ったかもしれないが、村を出て何日が過ぎているのか。でもその間、彼はなに一つとして努力をしなかった。最後にたった一言を残しさえすれば、ツァンクーはすべてを許すとでも思っていたのか？

ぐっと腹に力を入れ、ツァンクーは足を踏み出した。息を止め、こぶしを握って門を睨む。

カツン、とつま先が音を立てる。漆喰の上とは異なる反発力と反響に一瞬ツァンクーはひるんだが、怒りがためらいを消した。力任せに二歩、さらに意地で三歩。動きはじめれば、身体は逆に止まることを拒んだ。彼はしゃにむに腕を振って、前へ進んだ。

後悔のないようにな、おまえはいずれわかる時が来るだろうから。

出がけのグトの言葉が思い出される。そんな日が来るのだろうかとあの時は半信半疑だった。でも今ははっきりと断言する。ガプガワンを知る日は来ない。ガプガワン自身が拒んだのだから、当然の結末だ。

門の前まで来たとき、限界が来た。ツァンクーは扉に手をついて息を吸った。身体が空気を求めている。そのままの姿勢で深く息を吐き、また胸いっぱいに息を吸う。心臓の鼓動が早まっている。動揺のせいだけではない。高地に適応できていないせいだ。奥まで行ったら水を少し飲もう、と彼は目を閉じて自分を鎮めた。

そして振り返った。

変わらず光は床に正円を描いている。しかしそこにはもう誰もいなかった。

耳をすませても靴音は聞こえない。

3

扉の先につながる横穴は長かった。

自分の態度を振り返り、反省し、悔み、自己正当化して再度怒りを抱くには十分すぎるほどだった。悔恨が二度目に入ったところでツァンクーは壁を殴り、足を止めた。どっと疲労が押し寄せてくるのを感じる。なにもかもが面倒だった。

壁に背を預け、足を投げ出す。興奮がおさまったが、ひどい動悸は耐えがたい。汗をかなりかいているし、頭が重く、横になりたいという欲求を抑え込むだけで精一杯だ。ここはタツェよりかなり高所だから、長居をするとますます体調が悪くなるかもしれないとツァンクーは思った。グトからそんな症状を高山病と呼ぶのだと教わった。昔の人間はそれを神の領域に踏み込んだからだと解釈した。しかし物事には必ず因果がある。立派な薬師になるためには因果を正しく理解することが必要だが、そのために昔の人間が発見したことに耳を傾けなければならない。そんな話だった。

グトのことを思い出すと少し冷静さが戻ってきたようだ。まだ燃えている腹を押さえ、彼はあたりを探った。

いつの間にか横穴の壁全体がうっすらと発光している。触るとつるつるしていて冷たいが、凍っているというほどではない。地下水の染み出しもなく、真っ白で、人為的あるいは超常的な現象によって形成されたもので間違いないだろう。しかしこれにも因果がある。なんでも神の御業だと思ってはいけない。その当たり前の事実がようやく頭の中におさまって、ツァンクーは大きく息を吸った。

このラシャの異様な光景だってなんらかの説明がつくに違いない。そう思うと急に好奇心が頭をもたげ、怒りの強度ががくんと減退した。ガプガワンのことははじめからわかっていた。思いがけない言葉を聞いたから動顚(どうてん)してしまったが、ツァンクーは彼のたくらみを完全に看破したといっても過言ではない。なにも興奮する必要などないのだ。せいぜい少し憐れんで、記憶の中から追い出してしまえば――

しかし怒りはまた、腹の底から顔を出した。息を吐き、吸う。邪念を振り払おうと立ち上がる。こんなところでぐずぐずしている暇はないのだ、と彼は自分に言い聞かせた。ガプガワンは、中に入れば誰かが案内してくれる、と言っていた。まるで人が待っているかのような言葉だった。

「そう緊張するなよ」

はっとして彼は顔を上げた。

声はつきあたりから聞こえた。知らない男の声だ。聞き間違えのはずがない。つきあたりにはいつの間にか青白い光が満ちている。光は揺らめいて、すこしも静かにしていることがない。壁に手をついたまま目を凝らし、耳も澄ます。先ほどの男の声とは違う、はっきりと聞き取れない声が複数する。男が二人、三人——それ以上か？　女の声も混ざっている。年寄り、青年、ないのは子供の声だけだ。

　ツァンクーは慎重に右足を一歩、前へ進めた。緊張で手のひらが汗ばんでいる。呼吸をするたびに喉がぜいぜいと音を立てる。落ち着け、と彼は自分に言い聞かせて腹に力を入れた。これもなにかの試練かもしれない。何事にも毅然として対応しなければチェギ・ルトとして認めてもらえないのかも——

「誰か、いるのか」

　背中を伸ばして息を吸い、身体を丸めて息を押し出す。人の気配だ、と彼は思った。それも一人ではない。会話をしているようだ。内容はわからない。個々の音が拡散して意味を失っている。

「モジュールの切り離しに成功、全システムチェック完了（オールグリーン）、準備完了（レディ）です」

　今度は女の声だ。ぼんやりと拡散する声の渦の中に芯が生えたような心地がした。胸をおさえ、ツァンクーは深呼吸をした。

「開始（GO）」

男の声と同時にわっと音が膨れ上がった。狭い横穴に身体をねじ込むように音はツァンクーの脇をすりぬけ、気味の悪い余韻を残していった。ほとんどの音は意味を伴わなかったが、いくつかははっきりと輪郭を残していた。モニタリング開始、出力は誤差三パーセント以内を維持しています。やっとここまで来たな。成功するだろうか。大丈夫だよ、いろんなトラブルがあったけど解決できたじゃないか。きっと星系の独占保有を主張できる。待てよ、まだ成功したわけじゃない。この後の惑星構築（テラセンブリ）の過程で軌道が一パーセントでもずれれば、直近十年の衝突回数は十パーセントも少なくなる。そうなると質量を得られないからせいぜい成長しても小惑星程度だ。おいおい、その話は何度も聞いたぞ。場合によっては五万年かけて太陽に落ちる、もしくは宇宙の彼方まで飛んでいく。だろ？　おまえの仕事は最悪の可能性を考えること。でもな、俺の仕事は明るい未来を語ることなんだよ。つまり今、この瞬間が成功してるかどうかさえわかればいいのさ。それより彼女、名前なんてったっけ、あの子だよ。ほら、あそこで手を振ってる子。ハッピーアワーに誘ってみればいいのに……そんな顔をすんなって。誤差がわかるのは俺達が死んだあとだろう。未来になんと罵られようと今は勝利に酔いしれようじゃないか！　できない？　真面目なやつだな。

　ツァンクーは困惑した。声ははっきりと聞こえたし、言葉の認識もできる。しかし内容が全く理解できない。こんなことは初めてだ。

彼は小走りでつきあたりへ向かった。数歩歩くと両側の壁が横に逃げ、広い空間がある。青白い光に満ちた空間は向かいの壁も見えないほど広いようだった。そこに人影がうごめいている。光が揺らめいているのかと思ったが、人がいたのだ。

もっとも近くにいるのは男性二人、四角い箱を前にツァンクーに背を向けて立っている。彼らの前には大きな織物がかかっているが、紋様は見たこともない奇妙なモチーフをしている。男性と織物の間は階段状の下り坂になっていて、ひっきりなしに人が右へ左へと通り過ぎていた。

「まもなく第一段階爆発実験を開始します。準備完了（レディ）」

女の声が上から降ってくる。しかし上方を仰いでも人影は見えなかった。ほかに横穴があるのかと身を乗り出して壁に目をこらすが、垂直に立ち上がる崖は平らで継ぎ目の一つもない。

「3、2、1——」

咄嗟にツァンクーは身をかがめて耳をふさいだ。いつの間にか部屋を人影が埋め尽くしている。彼らはみな壁の織物へ視線を注ぎ、手を叩いていた。その音が部屋中に反響してもみ殻をぶちまけたような音を立てたのだった。正面に立っている男性の一人も、もう一人の背中を強く叩き、鷹揚な調子で拍手をはじめる。部屋を埋め尽くす音が頭の中まで響く。

彼らは一体だれなのか？　これほどの人数を養う食料や水はどこから調達しているのか？　ここに

村があるということか？　彼の困惑はピークに達していた。これほどまでに大きな村がタツェと交流を持たないとは考えられない。彼らにとって一番近い村はタツェだし、食料調達も難しいこの地域で大人数を養うことを考えたら、ほかの村との交易が欠かせないはずだ。それともゲレクタシ達交易びとはこの村を知っているのか？　知っていてずっと存在を隠していたのか？　もしそうだとすれば、なぜ？

戸惑いからくる苛立ちからツァンクーは目の前の男性達へ突進した。おまえ達は誰だ。ここはなんという名の村だ？　俺は次のチェギ・ルトとして来た。今までもそうだったから話は聞いているだろう。説明してくれ。

しかしツァンクーはその言葉をしまいまで吐くことができなかった。彼が口を開いたとたん、青白い光はふっと力を失ったように消え失せ、部屋にひしめいていた人々も、壁の織物も、ツァンクーが今まさに話しかけようとした二人の男性も消え失せてしまったのである。

「生まれたばかりの星系は原始惑星系円盤と呼ばれ、恒星を中心としてガスや塵が円盤状に広がった姿をしています。ガスや塵は惑星の種と言えるでしょう。円盤上ではさかんに塵が衝突を繰り返し、やがて引力を持った天体へと成長します。人類の母星系である太陽系に所属する惑星も、このようにして誕生したと言われています。

かつて人類が宇宙へと足を踏み出したばかりの頃、人類は母星系に似た星系を探し、その中に人類の生存に適する環境を持った惑星がないか調査しました。しかしこのような探査は非常に時間がかかります。またたとえ条件に合致する天体を発見できたとしても、前宇宙進出時代の人類は惑星間航行技術を持たなかったため、ほとんどの場合は候補の惑星に到達できませんでした」

足が逃げようとする。しかし一歩下がったところで膝の力が抜け、彼は床に座り込んでしまった。目の前にいた人間が一瞬にして消え失せてしまったという事実が処理できなかった。それも一人や二人ではない。部屋にひしめいていた多くの人間が跡形もなく消滅したのだ。

女性と思しき声は誰かに語り続けている。相手はもちろん見えない。それどころか声の主がどこにいるのかさえ、ツァンクーには見当がつかなかった。

人がいなくなり、調度品が消えた部屋の形状は明らかだ。平らな床、床から垂直に立ち上がる壁、真っ平な天井、完全なる箱の中だ。出入口となるのはツァンクーが来たあの横穴しかない。壁も床も、もちろん天井も継ぎ目はなく、穴もない。

苛立ってツァンクーは声を荒げた。誰だ。どこにいる。出てこい。なんで無視をするんだ。

反応はない。奇妙な言葉はずっと続いている。

「母星あるいは母星系から脱出することさえ難しかった人類でしたが、一つだけ幸運な性質がありました。人類と似た環境から発生し、また人類と似た環境で生息できる異星種がほとんどいなかったのです。このおかげで人類は異星種から認知されず、攻撃や侵略を免れることができました。非常に長い時間はかかったものの、人類が前宇宙進出時代まで到達したのは、この幸運によるものといえるでしょう。また領星の多くは異星種から無視または遺棄された土地であったため、所有権や住居権の争いとも無縁でした。この幸運は生物的に強くない新興種が宇宙進出時代に至るまで成熟するためには必須の条件でありますが、その代わり、他の種との交流方法を学ぶ機会を持てないというデメリットも抱えています」

声が途切れると同時に闇が落ちてきた。そう錯覚するほど突然に光が消失した。

ぎくりとしたが、ツァンクーは取り乱さなかった。暗闇を怖いと思ったことはない。目を覚まして最初に見るのはいつだって暗闇だ。息苦しくても、たまらなく寒かったとしても暗闇の中から草いきれの匂いをまとわせた手が迫ってきて、ツァンクーの額に触れる。心配いらんよ、とグトはいつも言った。彼の声が鼻先ではじけ、細かい金の粒になって散っていくと、より深い闇が全身をくまなく覆って世界は静かになる。再び目を覚ます頃にはミンヤンが彼をのぞき込んでいる。目をぱっちりと開いても彼女の瞳には睫毛の影が落ちている。その影と外からやって来る光が喧嘩をしているさまは、星がまたたいている様子とそっくりだった。「ツァンクー、起きた」と彼女が言うと世界は再び動きはじめる——

星ぼしがまたたいている。

いつも見上げる空と星の並びは違っていたが、そこが空であることを彼はどういうわけか確信していた。先ほどまでは平らだった天井には緩やかな弧が生まれ、藍色の陰影ができている。地面から見上げる夜空のようにも見えるが、足元にも小さな光が散らばっており、空中に浮かんでいるようであった。

「人類は異星種の存在に気づかないまま宇宙へと進出しました。宇宙進出時代初期の三百年、人類は母星系である太陽系を出ることができませんでした。したがって移住対象となる星は太陽系の惑星もしくは衛星に限られており、惑星改造（テラフォーミング）を行っても国際的な問題には発展しなかったのです。現在では広く知られることになりましたが、惑星改造は原生種の排除または大量虐殺に当たる場合があり、国際法上、実施には様々な条件をクリアすることが義務付けられています。太陽系開発の際は幸いにも異議申し立てを行う種が存在しなかったため、人類はこれが違法行為であることを知らないまま居住地を広げていったのです」

ツァンクーは黙っていた。すべてが終わるまで待ったほうが良いと彼は判断した。空気の薄さのせいで動き回ると頭がくらくらするし、動悸もひどい。ここは人の生きる場所ではない。この場所を好む者がいるのだとすれば、確かに神か、あるいはそれに類するなにかであろう。この現象に説明をつける術を彼は持たなかった。

「ところが当時の航行技術では到達できる星が限られていたこと、また人類が居住可能かつ改造可能な星は宇宙では希少であったため、人類は人類の居住可能な場所に星を『生み出す』技法、つまり惑星構築（テラセンブリ）に傾倒します。初期の惑星構築は小惑星帯に浮かぶ岩石や星系外縁部の天体を人工的に衝突させ、二つ以上の天体を融合する手法が取られましたが、人類の技術では直径三〇〇メートル以上の小惑星を制御することは不可能でした。またこの頃、人類は異星種と接触し、惑星及び星系には所有権等が存在することを学びます。そこで人類はまだ誰も所有していない星系を最初に発見し、活発な造星活動が行われている原始惑星円盤上に人類の居住可能な天体を形成する、開闢（かいびゃく）プロジェクトを始動させました。ここ、ヌビヤクはその最初の事例です」

ツァンクーは両手で耳を塞いだ。

帰りたかった。ニマの首筋に頬ずりをして、心を落ち着かせたかった。グトならもっといい。いつも薬の苦い匂いをまとわせているグトに、どうしたね、と訊いてほしかった。

わけのわからないことを聞かされるのは嫌だ。一人でこの重荷を背負えと迫られるのだって勘弁してほしい。彼は望んでチェギ・ルトになったわけではないのに、どうしてこんな目に遭わなければならないのか？　どうして双子として生まれたミンヤンはなにも背負おうとしないのか？　彼女の方が健康で、愛されることに長けている。ツァンクーと同じ顔をしているミンヤンに大人達がみんなして甘い理由が、ツァンクーにはわからなかった。チェギ・ルトの労からも、チェギ・チェウの痛みからも逃げる彼女が許されることが解せなかった。彼女はすべてを奪う。だからツァンクーには暗闇しか残されていない。だというのに今は暗闇すら彼を苛もうと迫ってくる。

「とんでもないことは誰でも考えるものだが、実現してしまうのが君達の面白いところだな。ええと、そして人類は失敗を胸に刻みました、と。あれ？　このセリフで合ってたっけ？」

ツァンクーは顔を上げなかった。呼吸に意識を集中させる。そんなツァンクーを無視して声が軽やかな笑いを漏らすと、闇は引き、床が白々と発光をはじめた。

影がある。

男がいる。見たことのない男だった。

男は言った。やあ、具合が悪いようだね。膝を折り、背中を精一杯丸めてツァンクーをのぞき込んでいる。骨に張りついた不自然に青白い肌に皺を寄せ、男は口を横に広げて笑った。歯はなかった。

「酸素濃度を上げておいたから、じきに楽になるよ。前もって来る日を教えててくれればこんなことにはならないんだが。君達はいつもそうだな」

目を開ける。いつ閉じてしまったのかわからなかった。さっきまでうとうとしているリショに声をかけ、寝るなと叱責していたはずだ。しかし同じくらいはっきりとラシャでのことも思い出せる。目を開ける直前まであの男の顔を見ていたのではないかと思うほどだ。

リショ、と彼は足を組み直しながら膝の上の少年の名を呼んだ。寝るな。目は閉じていて構わないからこれを食っておけ。砂糖漬けだ。よく噛んで食べろ。

睫毛を震わせたリショはもにょもにょと口を動かして押し付けられた砂糖漬けを口に含んだ。手はすり合わせているが半覚醒といったところだろう。呼びかけても反応は鈍く、首は前後左右にふらふらと動いている。額に汗をかいているのが気になるが、指先や足先を確かめるとまだ暖かいので余力はありそうだ。靴下が湿っているのが気になる。

リショの足裏をさすってやりながら、ツァンクーは毛織物の隙間からあたりを見回した。風雪は先ほどよりも強まり、森の色はすっかり冬に喰われてしまっている。日はまだ落ちていないが、雲の中は薄暗く、状況は最悪としか言いようがない。

不意に景色が揺らめいたような錯覚をして、ツァンクーは背を伸ばした。反射的に傍らの猟銃に手をやる。

音がした。

そんなはずがないとすぐに理性が否定をする。ついに幻覚があらわれたか？

誰か来たよ、と目をこすりながらリショも言った。思っていたよりもずっとしっかりした声だ。今、なんか聞こえたよ。お父さん？

確かに、枝を踏む音のようにも聞こえた。しかし同時にツァンクーは思った。この風の中をさまよい歩いている人間が正気であるはずがない。ほとんど死にかけているだろうし、判断力は完全に失っている。うかつに手を差し伸べると共倒れになるおそれもあった。人間よりも獣であった方がほっとする。羚鹿であればなおいい。氷が張るくらいの気温でもっとも活発になる彼らが活動をはじめたのなら、天候は回復傾向にあるということだ。

右手でリショを抱き込み、ツァンクーは白い吹雪を睨んだ。

野生の羚鹿が見慣れないものに気づいて寄ってきたのか？　天敵の少ない羚鹿、それも子供の個体ならありうることだ。

枯れ枝から垂れたしずくが頭頂部に落ちる。息を吸い、また吐く。誰何しようとツァンクーが口を開いたとき、軽い雪を踏む足音がした。音はまっすぐに彼らのほうへ向かってくる。はじめはおずおずと、少し調子づいて数歩進み、また止まる。

この動きは羚鹿だ。凍った風の向こうから強い視線を感じる。野生の羚鹿ならにおいで逃げそうなものだが、村にたどり着けなかった仔羚鹿が人の気配をたどって来たのだろうか？

息を吸う。陰影を失った森は沈黙している。空気は張り詰め、先ほどまでとは色が異なっているように思われた。彼は思った。

本当に羚鹿なのか？

＊

ツァンクーは叫ばなかった。目の前に突如として現れた男の存在に驚きはしたが、息を止めて自分を押さえたのだった。

見たことのない服を着込んだ男は病的に痩せ、唇は乾燥しきって粉を吹いている。大きな鼻は茶色いシミで塗り分けられており、目元は乾燥のためか細かな皺が幾重にも寄っている。それだけなら彼はさほど驚かなかっただろう。男の異様さをなによりも際立たせるのは、肉付きだった。骨に直接皮膚を張り付けたように頬が削げ、茶色に変色している。袖口からのぞいた手首はぎょっとするほど細く、血管と骨が目視できるほどだった。目は落ちくぼみ、鼻は痩せ、髪の毛と眉はほとんど抜け落ちて頭蓋骨の形がはっきりとわかる。しかしその眼窩にはめ込まれたセトパハドの上に広がる空と同じ色の瞳だけは、不自然に輝いて生気に満ちている。

「誰だ」

言葉は思ったよりも素直に喉から飛び出してきた。男が両手を上げて身を引いたので、ツァンクーは警戒して顎を引いた。

「ああ……申しわけない。自動音声で対応されてもわけがわからないってフィードバックがあってね。私達としてはデータを介したほうが正確だし再現性もあるから良いんじゃないかと思ったんだが、顔を合わせて話をすることが大事だとかなんとか――」

「おまえは誰だ」

腹に力を入れ、ツァンクーは声を低くした。男はますます目を丸くしてツァンクーを見返している。敵意は感じない。それはいい。しかし気配もないのはなぜだ？　すぐそばにいるのに体温を感じないし、呼吸音も聞こえない。今だって彼の口からは白い息が漏れていない。

「誰と言われても困るな。君達の好きな『名前』という習慣が私達にはなくてね」

「わかった」

おざなりながらも答えがあったので、ツァンクーは引き下がった。理解は難しくない。名前がないのは不便そうだが、彼らの村、あるいは共同体で問題がないならツァンクーには関係のないことだ。羚鹿に乗らない森の民の集落があるように、名前を持たない集落があってもいい。

男は目を丸くして顎を引いた。眉が眼窩に沿って弧を描き、額に皺が寄っている。しかし口元はほころんでいて、笑顔を浮かべているようにも見えた。

「話が早いな！　いいことだ。ここの動力は『鍵（crypto-all）』の保管でほぼ手一杯だから、あまり長引かせたくないんだよ。酸素を作るのはコストがかかるしね。君は子供だね？」

ツァンクーだ、と彼は言い返した。俺はチェギ・ルトになる儀式のために来た。なにをすればいい。

儀式？　と男が小首をかしげたのでツァンクーは面食らった。行けばすべてがわかるとガプガワンは言っていたはずだ。しかし今起こっていることのすべてが、「すべてわかる」とは真反対だ。なにもわからない。誰のものとも知れない声が語った内容も理解できなかったし、多くの人々がいた理由も、そして一瞬で消え失せたことも、目の前で死人のような男が動いていることもなにもわからない。

「ここに来るといえばプログラムのことだろうけど、儀式……儀式ね。何度かその言葉は聞いたな。

私達の知らない言葉だ。まあいい」

「なにをすればいいんだ」

「君は子供だからプログラムには参加できないよ。大人になってもう一度ここに来てくれるかな。今回は説明だけはするけど、このプログラムは有志による『献身的犠牲』とかいうやつなので、参加したくないという意思が少しでもあればいつでも中断できる」

「プログラム？」

聞きなれない言葉の羅列に面食らって、ツァンクーは聞き返した。すると男は表情をやわらげ、心配しなくていいと言う。

みんなはじめはそうだった。ほとんどの子供が泣きながら来たよ。話なんか聞ける状態じゃなかった。その点、君は落ち着いてるね。体調は少し悪いみたいだけど——室温も少し上げようか。私達は『寒い』という感覚がわからないから不快な思いをさせていたら申しわけない。

「プログラムというのはなんだ。チェギ・ルトになる儀式のことか」

男の話はすぐに脱線する。苛立ちを覚えてツァンクーは語気を荒げた。寒いのはいい。少し苦しいのも慣れている。でも理解できないのは耐えがたかった。さらに言えば繰り返し子ども扱いされるのも腹が立つ。子供という言葉が出るたびに、ツァンクーを横目で見て顔をしかめる大人達のことが思い出される。こんな身体の弱い子にチェギ・ルトがつとまるわけがない。ツァンクーが女の子で、ミンヤンが男の子だったら丸くおさまっていたのに――

チェギ・ルト、と男は繰り返し、まばたきをした。

「君達がこのプログラムのことを違う名称で呼んでいることは知っている。そんな響きだったような気もするが――まあここに来る目的は一つしかないから、おそらくそうだろうね。君は未成年だけど、今のところ両手両足に目もそろってる。成年になってもう一度来てくれれば、『鍵』として登録できるよ」

「『鍵』?」

「そう。『鍵』だ。長い話になるのでこの星の成り立ちについてはさっき説明資料を流したけど――」

ツァンクーに向かって腰をかがめた男は右手を軽く上げた。それと同時に再び闇が切って落とされ、天井に夜空が浮かび上がる。今度ばかりはツァンクーも驚かなかった。しかし「説明資料」とやらにまったく覚えがないことは黙っていた。チェギ・ルトとしての資質に口を挟まれたくない。もう一度でも子供がどうのこうのと言われたら、正気でいられなくなってしまうかもしれない。

「開闢プロジェクトによってこの星系に構築された惑星は二つ。一つがこのヌビヤクで、もう一つはお隣のゲヴラフナーだ。恒星からの距離としてはゲヴラフナーのほうが母星たる地球に似ているし、重量も近い。それに対してヌビヤクは少し遠くに形成された。なぜかわかるかな」

男の指す天井に再び円が現れている。中心に橙色の巨大な円、遠く離れた場所に小さな茶色の円と、青い円がある。小さな円の上にはそれぞれ見たことのない文字が書かれていたが、ツァンクーは指摘しなかった。

ツァンクーの返事を待たずに、彼はすぐに言葉を続けた。ゲヴラフナーの目的は母星そっくりな惑星を作ることだった。しかしヌビヤクは違う。惑星構築の手法確立を目的としたパイロット版という位置づけだったから、すべてに合理的な理由が必要だった。例えば、ゲヴラフナーよりも恒星から遠い位置に形成されたのは、星系脱出の際に燃料をできる限り少なくするためだ。当初の大きさはゲヴラフナーよりかなり大きかったが質量は軽くなるよう慎重に計画された。地表から宇宙空間へ簡単に脱出するためだ。

しかし誤算もあった。ゲヴラフナーとヌビヤクの間には二つの惑星がある。これは当初の計画外の事態だった。くわえて人工的に小天体の衝突を行わせて惑星形成を早めた副作用として、外側の小惑星帯の小天体形成が今もまだ終わっていない。彼らの生きる星系は生まれたばかりであり、人が手を加えた二つの惑星は一足早く成熟期を迎えてしまった異質な存在なのだ。人類がここに入植した頃、二つの惑星はしばしば隕石群に襲われ、地表に被害が出ることが多かった。

そこまで一息に語ると、男は青い方の円を指さして、これがヌビヤクだと言った。

男の指す円に白い線がするすると伸びてきて、そして消える。男は言った。隕石群はこのように静かに訪れる。宇宙から見れば取るに足らないノイズに過ぎないが、地表の生物は大きな影響を受ける。ゲヴラフナーは大気の変容によって多くの水と入植者を失った。今でも大気の再形成に苦労しているらしい。対策としてゲヴラフナーは七つの「月」を空に浮かべ、外から飛んでくる隕石を受け止めさせるようにした。

ヌビヤクは、というと、今までに起こった隕石群衝突は大きなものでも四八七回、最大のケースではヌビヤクの地表一〇パーセントが吹き飛んで、上空を周回していた補助太陽が墜落した。隕石群衝突のたびに地形は大きく変動したし、山岳地帯もその時にできたそうだ。

男の話は半分も理解できなかったが、山岳地帯という聞きなれた単語が顔を出したのでツァンクーはほっとした。

山にまつわる話なら、神話にたくさん記されている。その中でも太陽が墜ち、地形が変動した話は聞きなれていた。

神話では空に火をともす仕事を昼の神から下賜された賢者が、ギュワとなり昼の神を殺したと言われている。ギュワは山体を崩壊させたのち、空を黒く染め上げ、命あるものを見境なしに殺した。男がかいつまんで語った衝突後の様子はギュワの神話と酷似している。惨劇は彼の子供達がギュワの首を刎ねたことでようやく終わった。刎ねられた首は空にぶつかって太陽となった。彼の中に流れる血にまつわる神話だ。

「隕石とやらはまだ来るのか」

「今は落下軌道に入ったらすぐにアラートが上がって対処されるようになっているらしいよ。ヌビヤクは生存者がほとんどいなかったから、ゲヴラフナーのように月を用意することはなかったんだそうだ。恒星から距離があるので補助太陽はすぐに打ち上げたが、安定するまでに人間の多くは『死』と呼ばれるステータスへ移行してしまって技術継承がなされなかった。詳しいことは私達も知らない。私達が頼まれたのは生体鍵（bio crypto-all）の新規登録と保全管理だけだからね」

　思わずツァンクーは鼻を鳴らした。目の前の男の屈託のなさが小気味よかった。それに解釈も興味深い。もう少し聞いてみたいという好奇心が押さえられない。

「そうそう、今、ちょうど話に出たからついでに説明してしまうけど、隕石群の到来時の対処発動には管理者権限を持つ君達の生体鍵が必要だ。しかし君達は脆い。数百年、数千年の話を机上ですることはできるのに、それを実現することができない。なによりヌビヤクではあまりにも多くの君達が死んだ。今私達が使っているこの『識個（オール）』はそのことをなによりも気にしていて、私達に登録と管理を依頼したというわけだ。プロジェクトのあらましとしてはこんなものかな」

「その身体はあんたのじゃないのか」

思い切ってツァンクーは単刀直入に切り出した。不自然な容貌から男がただの森の民でないことは予想していたが、身体をまるで他人のように語っているのは奇妙だった。

これが神の仮の姿なのだろうか？　多くの神は森の民に近い姿で描かれている。丸くなったまま眠りにつき、山となってしまったドゥジャやアツィツィは身体こそ巨大だが、首の骨や喉骨など、森の民と同じ部位が地名として残されている。もちろんそうでない神もいる。たとえば羚鹿の神や狼の神、森に住む生き物はそれぞれに神を戴いており、神は同類と同じ姿をしているという。生き物でないものにも神はある。風の神、雲の神――冬の神もそうだ。彼女の姿を目視することはできない。彼女が山肌に触れればそこに冬が来る。昼と夜の神がいなくなったいま、彼女は最も大きな神だ。

ツァンクーの疑問は当然予想していたという様子で男は頷いた。

「そうだとも言えるし、そうでないとも言える」

「そうじゃないなら誰のものだ」

「誰のものと言われても……」眉尻をぐっとおし下げて男は斜め上を見上げた。「私達には呼称という習俗がないから、その質問には答えられない。それにこの身体を使う許可を出したのは君達だろう」

「昔のチェギ・ルトが許可したのか？　あんたはなんなんだ。人間じゃないのか？」

「私達と君達は種が違う。君達が言うには『森』と呼ぶのがもっともふさわしいそうだが、君がどうしてそれを知らないのか私達には理解できない。毎回こういった説明が必要だということも本当は理解できないんだ。ただ君達に必要な手順だらしいからこうして……」

森か、とツァンクーは繰り返した。ツァンクーにとって森は様々な社会の調停者であった。森にはたくさんの社会がある。木々には木々の、鳥には鳥の、羚鹿には羚鹿の社会があり、いくつかの社会は隣接している。だから時々争いが起こる。それらすべての均衡を保ち、森が栄えるよう導くなにか大きな存在――いわば神が、彼にとっての森だった。森は恵みを与える一方、容赦なく命を奪いもする。彼らは森の中に生きる民であり、その理（ことわり）から逸脱することはできない。森がなにを意図したのか完全に理解することはできない。ただそこに在ると知っているだけだ。

「私達が君達とこうして話をすることができるのは、君達が私達にこれを使っていいと許可を出したからだ。私達にとって『生』や『死』は単なる状態（ステータス）に過ぎない。君達も厳密には同じだ。個々には名前というやつがなく、生と死の状態を持っている。異なるのは状態が一方向に変異して戻らない、つまり不可逆だということだ。しかし不思議なことに君達は集まると、どこからともなく『識個』の概念が生み出す。個々が共同して働き、あたかも一つの存在のようにふるまいはじめるんだ。これは不可逆生命体特有の興味深い性質だね」

男はうすら笑いを浮かべている。黙って男を睨みつけるツァンクーにすこしも脅威を感じていない。むしろ喜々として話を披露している雰囲気すらあった。男は指を鳴らして続けた。

「性質としてはさほど珍しいものじゃなくて、宇宙に存在する種のほとんどは君達と同じシステムを持っているし、不可逆だ。私達が同期機構（シンクタイム）を持つように君達の総体もなんらかの機構を駆使して個というものを実現させているんだろう。君達の中に『識個』が立ち現れる瞬間にはいつも興奮させられる……しかし不思議なのは君達がなぜか状態を固定させるという概念も持っているってことだ。自分達には絶対に実現できないにもかかわらずどうしてそんな概念を生み出したんだろうねぇ。おおかた他からの影響を受けたに違いないが、それにしても……」

「なんの話をしているのかわからないが、『鍵』とかいうのが、その……不可逆な状態というやつなのか」

「いや、違うよ。『鍵』は状態を固定することによって実現する。話が脱線しすぎたね、すまない」

「チェギ・ルトは『鍵』になるだけで死ぬわけじゃないってことか？」

「君達の定めた期間、『鍵』として状態が固定される。厳密に言えば『生』から『死』への状態移行を可能な限り遅らせているというのが正しいかな。君達個々の状態遷移は非常に早く、固定が難しい。個や特定の群が死んでも『識個』として機能するという謎のシステムのせいなんだけど、『鍵』とする場合はそのややこしい仕組みのせいで、やがて『生体鍵』として機能しなくなってしまう。この『識個』なんかもそうだよ。昔はこの辺りが生きていたんだが、少し前にすべて死んだ」

指先を撫でて男はツァンクーにほほえみかけた。茶色に変色した爪と凍傷を起こしたように黒ずんだ皮膚、指の骨の形は触らなくてもわかるほど肉が落ちている。男は次に顎のあたりを撫で、ここにはまだ生きている群があるとも言った。指先に比べれば肌の色は生きている人間に近いだろう。しかし骨に皮膚が張り付いているだけというのは変わらない。この様子では衣服に隠れている足や腹はどうなっているのかとぞっとする。

「この『識個』の希望では保管期間はできるだけ長いほうが良いんだそうだ。なので『生』からあまり日の経っていない『識個』を『鍵』にするのが望ましい。しかしこの『識個』は厄介なことも言う。君達は未成熟な『識個』を『鍵』に用いてはならないんだそうだ。いつから『鍵』にして良く、いつまではだめなのか、この『識個』からかなり学んだが、私達にはない概念なので習得は難しいねぇ。特に最近ここにくる君達は、子供かってきくと大人だって答えるからね。二人来るから大きい『識個』を選べば間違いはないんだが」

ツァンクーは自分の両手に視線を落とした。手綱を握るせいで皮は固くなっているが、十本の指は手のひらとしっかりつながっている。男の話では『鍵』になる条件は欠損がないこと、つまりゲレクタシのように凍傷で指を失った場合は『鍵』にはなれないということだ。身体の弱いツァンクーでも問題ないし、女であるミンヤンでも『鍵』にはなれる。タツェの村で生まれた者である理由はないし、チェギ・ルトの血を引いていなくてもいい。

ツァンクーは長年疑問に思っていた。村の長をつとめる者が、歳を取る前に自らの身を『鍵』として投じる理由はなんなのか？

長がいなくてはみんな困る。できるだけ長く生きていてほしいはずだ。だというのになぜ、それがかなわないのか？　村にいた頃、彼は理由をチェギ・ルトに見出した。血によって男は長になり、やがて息子に殺される。息子も血によって同じ命運をたどる。血というよんどころのない事情を持ち出さなければ、説明のつけようがない。ゆえにガプガワンはツァンクーをかわいがらなかった。

しかしこの男の話を聞くと、血にはなんの意味もないことがわかる。十本の指と目が二つそろっていれば十分だというのなら、グトだっていいはずだ。十二のときにこの説明を聞いたガプガワンは、だからこそゲレクタシにラシャへ行かないよう口うるさく言ったのだろう。

もう一つ、気になることがある。男の話を聞けば聞くほど、長をつとめるチェギ・ルトが『鍵』になる必然性が感じられなくなっていく。それよりももっとふさわしい存在がある。

指が震える。十本の指をしっかりと組み、ツァンクーは深く息を吸った。男の話を聞いていると、チェギ・ルトの影に隠れたもう一つの血筋が浮かび上がってくる。身体が弱く、愚鈍で、平たくいえば村のお荷物になるような存在。それを『鍵』にしてしまうほうがずっと合理的だ。

弱い羚鹿はすぐに殺され、村人の血肉になる。歳を取ったり、怪我をして歩けなくなったりした羚鹿も同じだ。人は違うとどうして言える？

チェギ・チェウ。

ギュワの首を刎ねた彼女は、チェギ・ルトよりも深い呪いを受けた。だから代々身体が弱く、子供を産むと命を落としてしまう。ツァンクーの母もそうだった。彼女は子供の頃から病で臥せっていない日がないほどだったとグトも言っていた。三歩歩けば咳をして、風に当たれば熱を出す。彼女が双子を産み落としたのは奇跡だったし、そのあとすぐに命を落としたのは必然だった。子供を産む以外なにも期待されないチェギ・チェウは、女系のタツェで唯一家を持たない家系だ。それも本来は彼女達が『鍵』になっていたからではないのか？

目の前の男を睨みつける。睨んでも仕方がないことはわかっている。ツァンクーはいまはじめて、父親に会いたかった。会いたいと思った。首元を摑んで身体を揺さぶり、本当のことを言えと脅してやりたかった。両親が子を生したのは代替わり後のことだ。ガプガワンは『鍵』の正体を知っていて、賭けに出た。『鍵』にしても惜しくない子供を生すという賭けだ。ツァンクーが病弱であると知ったとき、彼はなにを思ったのか？　ツァンクーは『鍵』にふさわしかったから、かわいがられなかったのではないか？

「……『鍵』でなくなったら森には還るのか」

「森に還るっていうのは『死』に移行したあとの君達のプロセスだろう。廃棄方法は君達が定めたものがあるから、それに従ってるけど、そこに『死』へ移行するってものがあればそうなんじゃないかな。私達はよく知らないな」

男の声音は無邪気だ。自分達の成すことに疑いは一かけらも持っていない。だからこんな無邪気な声を出せるのだ。

「そんなに森の民のことを知らないのに、なぜ協力している？　俺の知ってる森は森の民のためには働かない。森の民が森のために働くことはあってもその逆はない。あんたの話は変だ」

「この『識個』は少し違うね」ふん、と男は鼻を鳴らして口元をほころばせた。妙に人間くさい表情だった。「最近、違いが分かるようになってきてね、しかしこうして違いを目の当たりにするのは実に面白い。君たちがあちこちをほじくり返す気持ちがなんとなくわかるよ」

そんなことは聞いていない、とツァンクーは男の言葉を遮った。苛立ちを抑えられなかった。目の前に白い光がちらちらと飛ぶせいで集中力が維持できない。言葉を並べていなければ、目の前にあるものだけに注力しなければ、全身の皮が破れてギュワになってしまうのではないか、と彼はおそれた。

「おまえたちは利がなければ動かないだろう。なぜ素直に説明しない。後ろめたいことでもあるのか?」

「たしかに利害関係はあるね」両手を広げて男は肩をすくめた。「ただ、それを馬鹿正直に『君』に説明してうまみがあるかなぁ」

「知らん。俺がなにをすれば説明する気になるんだ」

深く息を吸う。怒りと困惑と、一気に頭に押し込まれた情報のせいで冷静さを欠いていても、あらぬ方向を見ている死人のような男とまともな取引ができるわけはないことくらいはわかる。けれども彼は自分を抑えられなかった。父親に対する怒りのせいで自暴自棄になっていた。

「そうだなぁ……隕石群の衝突でヌビヤクの環境が壊れてしまうと私達も困るし……」

「嘘をつくな。おまえは『生』や『死』は単なる状態に過ぎないし、不可逆ではないと言った。隕石群とやらの衝突で死んでも、状態とかいうやつを変えれば生き返るんじゃないのか。森が再生するまで『鍵』になるのか、あるいは別のなにかになるのかは知らんが、隕石とやらの衝突でもたいして困らんだろう」

「これはこれは」男は再び肩をすくめ、今度は視線を天井に向けた。「まさか即答されるとは思わなかったな。君達の『識個』はこの『識個』と同じくらい見込みがありそうだ。ぜひ活用させてほしい」

男は鼻を鳴らした。ふと自分自身と相対しているような錯覚をして、ツァンクーはまた深く息を吸った。

姿の見えない羚鹿は動かない。

この時期の羚鹿は常に身体から湯気を立ち上らせている。新芽が生える前の枝先をかじり、木の根元の苔や草を唇ではぎ取って食べる彼らからどうしてそんな熱が発生するのか、ツァンクーには不思議で仕方がない。しかし今はその巨体がそばに欲しかった。風を遮ってくれるだけでもどんなに楽になるだろう。首周りの冬毛に足を潜り込ませれば、手でさすって温める必要もないはずだ。リショは凍傷を負わずに済むだろうし、ツァンクーの命もいくらかは永らえるだろう。もっとも彼は知っている。三頭の羚鹿をもってしてもドゥクチェンは指を何本か欠損した。冬の森は危険で、風雪に捕まればあとは運に任せるしかないのだ、と。

頭からかぶった毛織物の端につららができている。ツァンクーが吐き出す息が繊維の端にくっついて水となり、凍り付いてしまったのだ。まばたきをするたびに睫毛は音を立て、少しの力を加えれば鼻や耳ももげてしまいそうだ。素肌の露出は可能な限り避けているのに、冬の息が彼を凍らせようと執拗に吹いている。

おまえは。

舌がもつれる。唇も凍り付いて、うまく開かない。身体はひとりでに前後左右に揺れ、どうにか芯を温めようとしている。しかし熱は容赦なく吸い取られる。

おまえは——森か？

白く平坦に塗り込められた景色の中にゆらめくように青い陰が生まれた。首の付け根の盛り上がった背中のラインが白い世界に線を引く。

あのとき、男は言った。私達は自己複製機能を持たないので、他の生命体を利用する。単純な構造をした非知的生命体はウィルスとも呼ばれるが、知的生命体も含めれば寄生種とされることが多いかな。私達の存在の是非については様々な種でそれぞれの議論がある。君達にも数々の寄生種を撃退し、殲滅（せんめつ）した記録がある。行儀の悪い寄生種が宿主を絶滅させるケースはたしかに少なくないし、君達のような突出した能力のない生命体なら、侵略者の殲滅を選ぶほかない。寄生種に関してだけは種浄化の倫理が働かないのも仕方のないことだ。

私達としても不可逆的に状態を移行させるタイプの多くの生命体とは相性が悪いから、あまり深い付き合いはしたくないんだがね、種の存続のためにはどうにかして共存しなければならない。君達のような自己複製機能を持つ生命体の機構を借りて自己増殖をしなければならないんだよ。『鍵』の君達は安定していて、状態進行による突発的リスクも少ない。だから私達は『鍵』の管理をするかわりに、君達の身体を少しばかり借りている。それが君達と私達の間にある利害関係だ。

ただ、と男は首を傾けてようやくツァンクーに視線を向けた。美しい青色の瞳に対する気味の悪さはどうしても拭えない。やはりこの男は死んでいるのだ、とツァンクーは改めて思った。得体の知れないなにかが身体を乗っ取って動かしている。彼らには彼らの社会があり、人間には人間の社会がある。羚鹿と人が言葉を交わすことができないように、彼らと人は交渉する術を持たないはずだ。しかし互いに理解できないなりに歩み寄ることはできる。顎の下を掻いてやり、鼻面を叩き、腹を蹴り、人は羚鹿に意思を伝える。羚鹿は耳を立て、頭を振り、嚙みついたり、足を踏み鳴らして人に意思を伝える。

しかし彼らはそうではなかった。人と彼らの境界を喰い破り、人の側に染み出そうとしている。だから彼らとツァンクーは言葉を交わすことができたのだ。

ツァンクーは思った。すべての社会を調停する森はこんなことを許すだろうか？　隣接する社会の間には必ず衝突が発生する。それは当然のことだ。どちらかが勝ち、どちらかが負けて縄張りを譲らなければならないこともあるだろう。けれどもそれで社会が崩れ去ることはない。羚鹿は人間にならないし、人間は狼にはならない。社会はそれぞればらばらに動いており、この男の言葉を借りて言うのなら『識個』というものに近いだろう。けれどもその社会は隣接し、衝突することで不思議と意思が立ちあがってくる。それこそが森だと、ツァンクーは知っている。森は彼ら自身であり、また彼ら自身ではない。

しかしこの男の中に巣喰うなにかは人間になろうとしている。それぞれの社会の接合部を乱暴に踏み破り、どこまでも侵入する。

男はまだ得意げに話している。ただ複製しているだけでは、弱くなる一方だ。単純な構造の非知的生命体なら複製時のエラーを利用する方法で変異を勝ち取ることもできるが、私達にとっては毒を飲むようなもの、ほとんど効果がないし、デメリットのほうが大きい。それよりも個々の君達を連動させるシステム——計算機から直接状態（ステータス）を学ぶほうが様々なことを知れる。変異によるリスクは大きい。しかしそのリスクをとって、私達はここまで来た。君達がそうであるように。

この『識個』は君達の中では異質に思える。異質からは学ぶことによって、私達は大きく飛躍する。

ツァンクーは目を細めた。雪の破片が睫毛に引っかかっている。しかし彼の目にははっきりと、舌なめずりをする彼らの姿が映っていた。

ひときわ強い風が毛織物をはためかせた。リショの頭に右手を添え、左手で毛織物の端を摑む。息を吸うと胸の中に火が入ったように痛みが走るが、彼は構わずに胸を膨らませ、言葉を吐いた。

「話があるなら、来い」

雪を踏む音がする。やわらかい雪が沈み、その下の濡れた枯れ葉が湿った音を立てる。白い視界の中にあおい陰がじんわりとにじみ出し、輪郭を描く。細い鼻面、霜に覆われた睫毛とその下の隠れる緋色の目が藍白の世界の中に現れる。ぴんと立った耳がツァンクーを見ている。羚鹿は薄紅色の鼻面でかすんだ世界を押し、一声鳴いた。喉下の毛が揺れ、はらはらと雪を落とした。

リショが短い悲鳴をあげる。

あらわれたのは白毛の羚鹿であった。しかしその羚鹿がただの羚鹿でないことは明らかだった。雪とほとんど同化した白い毛皮の下にはいかなる贅肉もない。骨に直接皮を張り付けたように頰がこけ、体躯にはあばら骨が浮き出している。鼻の先からはかろうじて白い湯気がゆらゆらと立ち上っているが、この痩せこけた羚鹿がどうして風雪の中を立っていられるのか、全く理解ができなかった。

さらにこの羚鹿には角が生えていた。短い角ではない。十数本にも及ぶ角が頭の皮を破って突き出しているのだ。その姿はまるで森を戴いているようだ。かれの頭の上に囲われた森は新芽がほころび、すでに春がはじまっている。

一歩、羚鹿は足を踏み出した。頭を下げ、足を踏み出し、鼻を引くつかせる。かれの緋色の瞳は炎のように白い世界で揺らめいている。生きているのか、死んでいるのか、それともそのどちらでもないのか。

彼らだ、とツァンクーは確信した。彼らが俺の指を奪いに来た。『鍵』にさせないため――あるいは『生』でも『死』でもない状態にするために迎えに来たのかもしれなかった。

三年前のあの日、ツァンクーは尋ねた。もしその話を飲んだら俺はどうなる。

男は笑って言った。そんなに警戒することはない。なにもおそろしいことはないじゃないか。君達に協力はしてもらうが、『識個』は変わらずに存在する。『識個』は君達個々が生み出す概念だ。君達が少々欠けても、なんの支障もない。

なにも変わらないよ。

まばたきをするたびに羚鹿の目から光がこぼれ落ちる。手を伸ばせば届く距離だ。威嚇をすれば普通の羚鹿なら逃げ出すだろう。頭ではわかっているが、身体は動かなかった。リショも身体をこわばらせ、しっかりとツァンクーの胸元をつかんでいる。彼らは直感した。この羚鹿にうかつに触れるべきではない。

うるんだ緋色の目には黒い影がある。一つは木、もう一つは岩、その間で震えているはずの二人の人間は見えない。のぞき込みたいという衝動を抑えられない。冬に奪われた体温を取り戻したい、死にたくないと彼の身体は言っている。今、彼らに触れれば身体の欲求はかなえられるだろう。一方で理性は銃を手繰り寄せている。

あのとき、彼は思った。自暴自棄になっていたこともあったが、『鍵』という意味のない存在から、意味のある存在になりたいと願った。そうすればガプガワンをせせら笑ってやれるかもしれない。はじめから殺されることを待つ家畜のように育てられた息子が、ガプガワンの卑近な思惑を打ち破って彼らに重用されていると知ったら、いったいどんな顔をするのか？

けれども、彼は手を出さなかった。黙って立ち上がり、来た道を戻った。もしかするとあのとき、彼の理性は彼らの危険性を見抜いていたのかもしれなかった。

手を伸ばせば鼻面に手が届く。風音は消え去り、白い羚鹿の視線がツァンクーの手を取る。

森が——

けん！　と甲高い声が彼を現実に引き戻した。

羚鹿が耳を立て、頭をそらした。けん、と甲高い声で羚鹿が応えた瞬間、ツァンクーの理性が身体を支配した。両手が銃を構え、引き金を引く。

腹に響く銃声。反動でよろめきながらも、彼は冷静に排莢した。チン！　と硬い音がして白い煙が立ち上る。白い世界に溶けるように羚鹿は消えた。

けん、と再び声が響く。距離はあるが、ツァンクーにはその声の主がわかった。

膝に力を入れる。腰を浮かせ、ツァンクーは息を吸った。毛織物が頭からずり落ちていることには気づかなかった。

気の強さを隠せないあの甲高い声を間違うはずがない。誰よりも小さく生まれ、なかなか立ち上がろうとしない仔羚鹿の処分を任されたとき、ツァンクーは泣きたかった。幸い仔羚鹿は村はずれの草むらに投げ出されたとたん、腹を立てたように立ち上がってツァンクー達を追いまわし始めたので殺されることはなかったが、母親の乳がうまく飲めず、群れからつまはじきにされる弱い羚鹿であることには変わりなかった。やわらかい唇でツァンクーの指を食み、乳を出せと要求する仔羚鹿。夜になると寂しくなってツァンクーを呼び続ける。その声を間違うはずがなかった。

「ニマ！」

黒鹿毛が風を追い越して走ってくる。森を燃やし尽くした戒めに空に掲げられた男と同じ名前の光がまっすぐに——

だって、と泣き声が反発している。だって、途中で会うと思ったんだもん。けれども別の声が言いわけを遮る。バカ。途中で会ったって、足が遅いくせにどうやって俺について来るつもりだったんだよ。帰ってこられるかどうかちゃんと考えて動けっていつも言ってんだろうが。しかもあんな薄着で、ほんと、バカか。

やめろ、と言ったつもりだったが、喉はひゅうひゅうと音を立てて言葉を吐き出さなかった。通り過ぎた空気が灼熱に感じられ、ツァンクーは咳き込んだ。

頭が重く、身体は熱い。

「ルト様、どうぞ横になっててください……ドゥクチェン！　大きな声出すんじゃねぇよ、説教はあとにしろ！」

「ああ？　えらっそうに言いやがって、父親ならこんな日にこいつを一人で外に出すんじゃねぇよ。ツァンクーがいなかったら死んでたんだからな！」

「わかってる、わかってるよ」

「わかってねぇから言ってんだろ！」

大声を出すなと言ったつもりだが、空気が通るだけで咳き込みそうになる。しかし一方で、ツァンクーはほっとしていた。少なくとも彼らは生き延びたし、体調が悪いのは一時的なことだ。喉の浅いところが腫れているだけなら心配はいらない。すぐに良くなるだろう。今は薬を飲んで、しっかりと休養を取るべきだ。こうなることは予想していて薬もいくつか携帯しているから、なにも問題はない。それに寒気がないというのもいい兆候だ。

「ったくよぉ！　ツァンクーもツァンクーだぞ、なぁにが『いざとなればニマに乗って帰ってくればいい』だよ。かっこつけやがって、ざまあみろってんだ」

あまりのドゥクチェンの剣幕に、悪いとは思ったがツァンクーは失笑した。案の定、骨ばった大きな手が額めがけて飛んでくる。

わかってんのかとドゥクチェンは怒鳴った。笑いごとじゃねんだぞ。おまえの葬式だけは絶対に出さねぇからな、覚えとけ！

リショの父親が弱々しくいさめているが、これはしばらくおさまらないだろう。

吹雪の中、ニマが駆け寄って来たのは覚えているが、そのあとの記憶はとぎれとぎれだ。たしかニマの冬毛に手をつっこんでかじかんだ指をほぐしたような気がする。ニマは腹を立てていた。いつもなら地団太を踏むだけなのに、顔をひっきりなしに上下させ、ツァンクーの顔をべろべろとなめる。そのくせ抱きつこうとすると頭で押し返して、けんけんと何度も鳴いた。その首にかじりついて――それから――記憶はおぼろげだ。今、暖かい寝床で横になっているのだから、リショを抱えてニマに乗ったのは間違いない。飛び込んだ家で湯をくれと頼んで——リショの様子を診ている間に着替えを出してもらい——そのあとは？　さっぱり覚えていない。

また咳が出る。咳き込むたびに身体の半分が吹き飛びそうになる。腰を深く折り、胸をしっかりと押さえてツァンクーは慎重に息を吸った。情けない音を立てて喉が鳴るたびに、胸が痙攣する。咳をしながら息を吐き切り、胸をしぼませる。その繰り返しだ。怒鳴っていたドゥクチェンが荒っぽい仕草で背中を撫ではじめたが、ツァンクーは片手でそれを制した。

「わぁかってるよ、湯だろ。なにかあると湯を湯をってよ。おい、リショ、知ってるか、こいつんち、起きたらまず大鍋二つに湯をいっぱいに沸かすんだぞ。そんで一日中、誰かが湯を沸かしてんだ。なのに飯はこんなちっちゃい鍋でみんなで貧乏くさくつっついてさ……」

「早くしろ」

肩を使って息を吐き切る。指を数える。手の十本は揃っている。曲がるし、反るし、感触もある。足はどうか？　足指の又に指を差し込み、痛みがあることも確認する。軽い凍傷くらいにはなっているかと思いきや、肌はやわらかく、血が通っていて温かかった。熱が出ているおかげかもしれない。

「それが人にものを頼む態度かよ。しょうがねぇな、今回だけだぞ。おい、リショ！　来い！」

「リショはこっちに」喉で空気が引っかかったが、唇を噛んで彼は咳をこらえた。手足を見せてみろ、と彼は目元を拭いながらリショに告げた。

泣きべそ顔でリショはドゥクチェンと父親を仰いだ。しかしドゥクチェンがあわれっぽい視線に動じるわけもない。ぴしゃりとリショの額を叩き、どかどかと足音を鳴らしてどこかへ行ってしまった。タツェでも騒がしい男だと思っていたが、ツェチュでは輪をかけてうるさい。あれで彼なりに遠慮はあったようだ。

「叱ったりしないから来い。手を見せてみろ」

ふん、と鼻声で頷いてリショはそろそろとツァンクーのほうへ近寄ってきた。指を十本、前に差し出し、口をへの字に曲げて涙を目にいっぱいためている。鼻先と頬が赤いのは泣いたからか？　泣きべそをかいている子供に痛みがあるかどうか訊いたところであてにはならない。額に手を当て、熱が出ていないかを確かめる。指先は真っ赤になって少し腫れているが、動きに問題はなさそうだ。厚手の靴下を脱がし、足指も確認する。赤く腫れ上がっているのは気になるが、血は通っているので心配する必要はないだろう。とはいえ雪の中の体験は堪えたはずだ。病に見つかる前に薬を飲ませ、しっかり休養させなければならない。

「ごめんなさい」

「謝るようなことはなにもしていないだろう。身体に痛みはないか？」

「あのね、リショね、あのね」

「なんだ」

ふん、と頷いたリショの目からぼろぼろと涙がこぼれた。リショの隣ではリショの父親が眉尻を押し下げてうなだれている。意外にもドゥクチェンの説教が効いているらしい。

「今日は温かくしてもう寝ろ。ドゥクチェンが戻ってきたら薬をやる。少し苦いが身体が温まる薬だ。今日はかなり冷えたから、あとから熱が出たり、吐くこともあるかもしれない。数日は無理をしないように。あんたも」リショの父親に視線を移し、ツァンクーは静かに息を吸った。「しばらくは息子から目を離すないほうがいいだろう。今日は添い寝をしてやれ」

「すいませんや、うちの息子が……なんとお礼を言ったらよいか」

「今年の冬の入りは予想がつかなかったから仕方がなかろう。タツェも数日前までは夏の終わりのような気候だったし」

「そうなんでさ。昨日までは暖かかったから、まさか雪になるとは思わなくて。塩谷の連中も戻ってきてねぇし……」

「無事なのか?」

「ああ、いや、塩谷は作業小屋がありますから心配ないです。夏でも冬でも嵐はあるんでね、こういうのは珍しくねんですよ。俺はこいつの面倒を見なくちゃいけないんで早目に上がってきたんですけど」

荒っぽくリショの頭を撫でて父親はため息をついた。うちは年寄りがいないんでね、嫁さんが死んじまってから子供のことはいろんなとこに世話になってるんです。まあ交易びとが出てる間はかまやしないよってどこも言ってくれるんですが、お互いにね、どうしてもね。でもそろそろ上の子にも谷のことを教えていかなきゃならねぇし、こいつのことはどうしても後回しになっちまって、すまねぇとは思ってんですよ。もっと早く帰ってきてりゃなぁ。

ツァンクーは黙ってリショの靴下をはかせた。リショの服は山道で会ったときのものとは違っている。綿の入った冬用の子供着は、布の擦り切れたところはあるも、中綿は打ち直したばかりのようでしっかりとした厚みがある。靴下も羚鹿の毛で編まれた新品だ。きちんと手をかけてくれる大人がそばにいる証左だ。

自分とは違うのだ、とツァンクーは思った。父親のことを嫌いだと臆面もなく言えるのは、父親から嫌われていないという自覚があるからだ。すこし悪し様に言っても許してもらえると確信している。ツァンクーは言えなかった。興味のないふりや腹を立てる素振りは見せられても、最後まで彼はガプガワンになにかを期待していた。諦めることも、見限ることもできず、顔色を伺うことしかできない子供だった。

彼は子供だった。だから腹を立てても良かった。大声で嫌いだと言うべきだった。ミンヤンのようにラシャには行かないと駄々をこねるべきだった。そんなこともできない子供だったのだ。

「あのね、ルト様」

「なんだ」

「あいつって、月の羚鹿だったの？　おれ、死んじゃうの？」

なんの話だと言いかけてツァンクーは息を吐いた。また胸がびりびりと震え、咳が鼻に抜ける。

リショの困惑は仕方がないと彼は冷静に思った。あんな不気味な羚鹿が間近に現れたのだから、動顛しないほうがどうかしている。そのうえリショはツァンクーが銃を撃つところも見た。彼から見ればツァンクーは神を殺そうとしたように見えただろう。まるで神話の中の出来事のように——

「月の羚鹿？　なんの話してんだよ、ルト様が困ってんじゃねぇか」

「だって見たんだ。白い羚鹿がいてね、角がすごく長くてね、ほんとだよ。ほんとに見たんだ」

わからん、とツァンクーは吐き捨てた。自分の声をうまく制御できない。声を張れないので威圧感は与えていないはずだが、目の前の二人を思いやるには体調が悪すぎる。

それに二人にラシャでの出来事を話しても無益だ。ドゥクチェンならまだしも、子供のリショが冷静に受け止められるはずはない。リショの父親の人となりだってわからないし、森の民の前でうかつに森の正体を暴くべきかどうか、ずっとツァンクーは迷っている。グトにすら話したことのないあの時のことを、ここで軽々しく口にできるはずはないのだった。

「死ぬかどうかは知らん。白い羚鹿を見て死んだという話は聞いたことがない」

鼻をすすってリショはおとなしくなった。泣きべそ顔はあいかわらずだが、興奮はおさまったようだ。涙はすっかり止まっている。

「月の羚鹿だった？」

「わからん。もしそうだったとしても、あれが会いに来たのは俺だろう。心配しなくていい」

「ん」

「あまり吹聴しないように。森がなんと言うかわからんからな」

「ん」

ルト様はしっかりしてますねぇ、とリショの父親が息を吐いた。ドゥクチェンと生まれ年が同じでしたっけ？　そうは見えねぇや。あいつなんて図体と態度だけでかくなりやがって、他はさっぱりで。

「そんなことは——」

「そんなことはありますよ！　今日の吹雪だってあいつが冬を牽いて下りてきやがったから……」

冬を、とツァンクーは繰り返した。間髪を入れず、うるせぇな、と廊下の向こうから声がする。ゲレクタシだって毎年そうだったただろうがよ。悔しかったらタツェまで行ってみろってんだ。どうせアツィツィのあたりでひいひい言って引き返すに決まってんだからなぁ。まったく、みんななんもわかっちゃねぇよ。帰れ帰れ！

父親は笑っている。息苦しさを覚え、ツァンクーは思わず、タツェでは、とこぼした。

あれが春を負ってくるとみんな言う。

その声がドゥクチェンの耳まで届いたかどうかはわからない。息を吐いても咳は出なかった。

【初出】

「ギークに銃はいらない」
破滅派（2018年5月9日）
https://hametuha.com/novel/27584/
※「象」を加筆訂正のうえ改題。

「眠れぬ夜のバックファイア」
ゲンロンSF創作講座（2019年4月15日）
https://school.genron.co.jp/works/sf/2018/students/wonodas/2917/
※第3回ゲンロンSF新人賞優秀賞受賞作「バックファイア」より改題

「春を負う」
破滅派（2016年5月10日）
https://hametuha.com/series/春を負う/

「冬を牽く」
書き下ろし

ギークに銃はいらない

2022年07月20日　初版発行

著者　斧田小夜
装画　斧田小夜
装丁　斧田小夜
発行者　高橋文樹
発行所　株式会社破滅派
東京都中央区銀座1-3-3 G1ビル7F
電話　050-5532-8327
ウェブサイト　https://hametuha.co.jp
印刷・製本　日本ハイコム株式会社

乱丁本・落丁本はご連絡いただければ交換いたします。
定価はカバーに表示しております。

ISBN978-4-905197-04-1 C0093